George Sand
en verve

George Sand

en verve

Présentation et choix
Colette Cosnier

HORAY

22 Bis Passage Dauphine - 75006 Paris
editions@horay-editeur.fr
www.horay-editeur.fr
ISBN 2-7058-0371-8

Elle avait l'air bête...
Cela, nous l'avions toutes lu, nous, les élèves du Cours Complémentaire de ma ville natale, dans notre *Précis d'histoire de la littérature française*. Et ce n'est pas l'étude de quelques pages choisies de *La Mare au diable* qui pouvait nous faire dire le contraire. Nous avions quinze ans, nous découvrions avec passion Daphné du Maurier et Mazo de La Roche : *Rébecca* et *Jalna* avaient plus de mérites à nos yeux que les fades amours de Germain et de la petite Marie. Nous n'irions pas plus loin que cette *Mare au diable* : *La petite Fadette* et *François le Champi* pouvaient bien figurer dans la bibliothèque scolaire, nous n'allions pas perdre notre temps à les lire. Nous avions passé l'âge des *Petites filles modèles* et des "romans champêtres".
Nous ne nous demandions pas comment cet air bête avait pu séduire des êtres aussi intéressants que Chopin et Musset. Romanesques, nous avions recopié dans des petits carnets les passages les plus enflammés de la *Nuit d'août* ou de la *Nuit d'octobre* : "*Honte à toi qui la première/ M'a appris la trahison/ Et d'horreur et de colère/ M'a fait perdre la raison*"... et nous nous efforcions de déchiffrer la *Valse du petit chien*. Pauvre Chopin ! pauvre Musset ! elle les avait tant fait souffrir, cette George Sand ! Car notre *Précis de littérature française* le disait aussi à mots couverts, en évoquant sa vie "orageuse".

Ainsi se mettait en place une image composite et quelque peu incohérente : une romancière édifiante, moralisatrice, larmoyante et une femme de mauvaise vie, portant un costume d'homme et fumant le cigare.
Au lycée, il ne fut guère question de George Sand. Nous avions suffisamment affaire avec de vrais auteurs, des hommes, les Montaigne, Racine et autres Balzac. A l'université, elle refit brièvement surface, mais de manière définitive. Nos condisciples masculins n'avaient pas lu *La Mare au diable* pourtant ils faisaient chorus quand le professeur chargé de nous initier au romantisme réveillait l'amphithéâtre en évoquant les frasques de "cette bas-bleu de George Sand", et sa métamorphose en "bonne dame de Nohant" : aux cigares succédaient les confitures. Quels rires lorsque nous apprenions que pour Jules Renard elle était "*la vache normande de la littérature française*" !
L'air bête, donc, encore et toujours.
Où j'ai cessé de rire, c'est lorsque Baudelaire[1] fut appelé à la rescousse. Qu'il ait pu la traiter de "*stupide créature*" était déjà fâcheux, mais qu'il écrive : "*elle est bête, elle est lourde, elle est bavarde, elle a dans les idées morales la même profondeur de jugement et la même délicatesse de sentiment que les concierges et les filles entretenues*" ! Et le pire, l'ignoble : "*que quelques hommes aient pu s'amouracher de cette latrine, c'est bien la preuve de l'abaissement des hommes de ce siècle*"...
"*Ordure et jérémiades*" : excessive et lapidaire, la définition de Baudelaire exprime bien cependant ce que l'opinion a cru devoir retenir de George Sand, le scandale d'une vie et l'ennui d'une œuvre. Apparaît alors l'in-

1 - Charles Baudelaire, *Mon cœur mis à nu*.

croyable paradoxe. Sommés de citer une femme célèbre de la littérature française, les participants aux jeux radiophoniques et télévisés, les élèves des lycées et les étudiants en lettres n'hésitent pas : "George Sand !" Mais ils sont moins nombreux à pouvoir donner le titre d'un roman, en dehors de cette *Mare au diable* de triste mémoire. Et quant à ceux qui l'ont effectivement lue...
Faut-il alors ajouter un paradoxe à un autre? Que ferait-elle dans cette Collection *En verve* ? Comme Victor Hugo, aurait-elle multiplié les calembours ? Comme Raymond Queneau, pratiquait-elle l'humour au second degré ? Là encore les idées reçues ont la vie dure, les manuels d'éducation l'ont répété, le rire ne saurait être le propre de la femme.
Et pourtant... Un jour, un peu par hasard, parce qu'on a trouvé, dans une pile de vieux livres, un roman oublié, *Laura* ou *Teverino* ou *Jean de la Roche*, on commence à la relire, c'est-à-dire à la lire. On est d'abord effrayé, on se prend à penser comme Colette : "*Comment diable s'arrangeait George Sand ? cette robuste ouvrière des lettres trouvait moyen de finir un roman, d'en commencer un autre dans la même heure. Elle n'en perdait ni un amant ni une bouffée de narghilé, sans préjudice d'une* Histoire de ma vie *en vingt volumes, et j'en tombe d'étonnement*[1]." Plus de quatre-vingt romans et nouvelles, et des pièces de théâtre, et une autobiographie et vingt-cinq volumes de correspondance... : faut-il vraiment lire tout cela, affronter des pages et des pages d'ennui ? Et soudain on rit. Oui, même à *La Mare au diable*. On note quelques formules percutantes, on grappille dans ces lettres et ces romans, on découvre une

1- Colette, *L'Etoile Vesper*.

autre George Sand, celle qui se réjouit de se baigner dans l'Indre jusqu'aux premières gelées, houspille son éditeur peu pressé de lui verser un acompte, se moque d'une mode ridicule, "croque" une silhouette de paysan ou de grande dame, tient des propos caustiques sur le mariage ou sur l'éducation des filles, traduit la magie d'une représentation théâtrale.

La verve, ici, c'est l'inspiration vive, la fantaisie, l'ironie, un certain bonheur d'expression... Ce peut être un simple aphorisme : "*Une femme ne connaît pas son mari en l'épousant et c'est une folie de penser qu'elle le connaîtra en vivant avec lui*", un portrait vivement dessiné : "*Monsieur Junius Black était cependant assez beau garçon, jeune encore et très propre pour un savant*", une aimable autodérision : "*...nous-même, qui avons eu au théâtre de grands succès, et aussi des succès d'estime, c'est à dire des insuccès...*" On trouve tout chez George Sand, même, à un mot près, la phrase mystérieuse qui, chez Gaston Leroux, introduira au *Mystère de la chambre jaune* : "*Le presbytère n'a rien perdu de sa propreté, ni le jardin de son éclat*" !

Le seul problème qui se présente, c'est la douloureuse obligation de faire un choix. Flaubert lui disait : "*je ne peux mieux vous comparer qu'à un grand fleuve d'Amérique*[1]." On est là au bord de ce fleuve et nos filets sont trop petits. On voudrait citer quatre pages d'*Antonia*, reproduire intégralement une lettre à Gustave Flaubert "le cher troubadour", recopier un dialogue des *Beaux messieurs de Bois-Doré*, la dernière soirée des comédiens du *Beau Laurence*, ou quelques propos de paysans berrichons. On ne peut pas. On se

1 - Lettre, 27/12/1866.

contentera donc d'esquisser un portrait, celui d'une George Sand méconnue ou inconnue, en réparation de celui qu'ont dressé tous les *Précis d'histoire de la littérature française* et qui nous ont empêchés de la lire.
George Sand a montré aux femmes le chemin de la liberté. Elle était une pionnière. Elle est aussi la première à prendre place dans la Collection *En verve*.

Colette COSNIER

*Colette Cosnier, a enseigné la littérature comparée, et consacre ses recherches aux femmes du XIX*e *siècle. Elle a publié aux éditions Horay* : Marie Bashkirtseff, un portrait sans retouches, La bolchevique aux bijoux : Louise Bodin, *et* Rennes et Dreyfus en 1899. Une ville, un procès, *en collaboration avec André Hélard ; aux éditions Fayard* : Le Silence des filles. De l'aiguille à la plume, *et* Marie Pape-Carpantier, fondatrice de l'école maternelle ; *et aux éditions Guérin* : Hugo et le Mont-Blanc, *et* Les quatre montagnes de George Sand.

Amantine-Aurore-Lucile Dupin, dite George Sand

Le 5 juillet 1804, je vins au monde, mon père jouant du violon et ma mère ayant une jolie robe rose. Ce fut l'affaire d'un instant.

Vie

J'ai toujours trouvé qu'il était de mauvais goût non seulement de parler beaucoup de soi, mais encore de s'en entretenir longtemps avec soi-même. Il y a peu de jours, peu de moments dans la vie des êtres ordinaires où ils soient intéressants ou utiles à contempler.

Vie

Appelez-moi *George* au masculin - c'est une maladie que j'ai de ne pouvoir entendre, ni lire, l'ancien nom. Les chevaux les plus robustes s'effrayent souvent au coup de fusil.

Corr 1836

Je suis paresseuse comme un chien.

Corr 1832

Je suis bête comme une huître ce soir.

Corr 1832

Dans ces moments, je suis taciturne comme un ours.

Corr 1832

Je marchais comme une oie et j'ai toujours eu l'air vieillot.

Corr 1845

Mon squelette centenaire dort, fume, prend du tabac, griffonne du papier, et pleure comme un veau.

Corr 1834

Je n'ai jamais pu souffrir l'odeur ambrée des salons, l'éclat des lustres, le supplice du corset, de la robe de bal et des souliers de satin.
J'ai été malheureuse à pleurer toutes les fois que je n'ai pas eu trois chaises pour m'étendre à mon aise, les pieds l'un sur l'autre, toutes les fois que j'ai été forcée à me séparer de ma tabatière, à essuyer mon nez respectable dans un mouchoir garni de dentelle, à montrer mon dos et mes épaules que, par je ne sais quel ridicule instinct de pudeur, j'ai toujours regardés comme n'étant pas du domaine public. Enfin, soit bégueulerie, sauvagerie ou gaucherie, je n'ai jamais pu me trouver à l'aise au milieu de gens que je ne connaissais pas, soit distraction, stupidité, ou défaut d'usage, je n'ai pu parler de la pluie et du beau temps, de la danse et de la température des salons, sans bâiller au nez de mon interlocuteur, ce qui fait que dans toute réunion un peu soignée où j'ai eu la maladresse de paraître, j'ai paru singulièrement impertinente, rustique et déplacée. A Bordeaux, on m'a prise pour une débarquée des bords de l'Orénoque, à Paris

pour une quakeresse, à Clermont pour une mulâtresse (j'avais le renfort d'un coup de soleil attrapé glorieusement au faîte du Puy de Dôme), à Melun pour une maniaque échappée de Charenton, à la Châtre pour un bel esprit.

Corr 1832

En me regardant dans une glace, je puis dire pourtant que je ne me suis jamais fait grand plaisir.

Auvergne

Permettez-moi de rectifier plusieurs faits absolument controuvés dans ma biographie, écrite par vous [...] Mon mari n'était ni vieux ni chauve, il avait vingt-sept ans et beaucoup de cheveux. Je n'ai jamais inspiré de passion au moindre armateur de Bordeaux. [...] Vous ne m'avez jamais rencontrée avec M. de Lamennais, ni dans la forêt de Fontainebleau, ni nulle part au monde. Je vous en demande mille pardons, mais vous ne connaissiez de vue ni lui ni moi, le jour où vous avez fait cette singulière rencontre, racontée par vous d'ailleurs avec beaucoup d'esprit.

Corr 1854

Soyez sûr que le jour où je m'arrangerai de l'injustice, vous n'aurez plus qu'un *De profundis* à dire sur moi.

Corr 1840

Amitiés

Bonsoir, mon gros dindon, nous t'adorons toujours.

Corr 1870

Fais-toi aimer ! comme si cela était aussi facile que de se faire voir...

Quintinie

Il y a amitié et amitié ! Il y a celle qui fait qu'on ne peut pas vivre l'un sans l'autre et qu'on se marie ensemble : celle-là, vous ne l'avez pas eue pour moi et il est heureux que je ne l'aie pas eue pour vous ; mais il y a une amitié plus tranquille et qui n'enchaîne pas tant.

Ville

Qu'as-tu donc ? Bon vieux, manques-tu de courage ? T'est-il arrivé quelque chose de pis que la vie ordinaire ?

Corr 1836

J'ai écrit à tous nos amis de ne pas venir avant quatre heures, parce que je travaille la nuit, je me lève tard et n'aime pas trop à être entourée de monde quand je passe ma chemise. Quant à toi *personnellement*, tu peux venir quand tu veux, attendu qu'avec toi, *mon derrière n'existe pas.*

Corr 1837

Ce que je puis faire de mieux, c'est de planter à ton intention un laurier dans mon jardin. A chaque belle action que l'on me racontera de toi, je t'en enverrai une feuille...

Voyageur

Vivant souvent seul des semaines entières, la société d'un ami m'est tout un dimanche.

Maîtres

(*A Sainte-Beuve*) Venez me voir un peu plus souvent, à présent que nous avons rebaptisé notre amitié par une promenade au Bois, nous rêvasserons bien encore quelquefois ensemble, vous n'êtes pas devenu trop ganache, et je ne suis pas si hanneton que vous pensiez.

Corr 1840

(*A Flaubert*) Voyons, un peu de courage ! On part de Paris à 9 h 1/4 du matin, on arrive à 4 à Châteauroux, on trouve ma voiture, et on est ici à 6 pour dîner. Ce n'est pas le diable, on vit entre soi comme de bons ours ; on ne s'habille pas, on ne se gêne pas, et on s'aime bien. Dis oui.

Corr 1867

(*Id.*) Je garde bonne et forte impression de ce que tu m'as lu. Ça m'a semblé si beau qu'il n'est pas possible que ce ne soit pas bon. Moi, je ne fiche rien, la flâne me domine. Ça passera. Ce qui ne passera pas, c'est mon amitié pour toi.

Corr 1868

(*Id.*) Tu te désoles, tu te décourages, tu me désoles aussi. C'est égal, j'aime mieux que tu te plaignes que de te taire, cher ami, et je veux que tu ne cesses pas de m'écrire.

Corr 1875

Amours

Notre vie est faite d'amour, et ne plus aimer c'est ne plus vivre.

Corr 1871

- Il faut aimer, Sabina.
- Vous parlez d'aimer comme de boire un verre d'eau. Est-ce ma faute, si personne ne me plaît ?

Teverino

Il croyait, comme tous les vieillards, que l'amour a un terme et que le chagrin ne tue personne.

Consuelo

- Et vraiment tu l'aimes ?
- Voyons ! vous demandez ça ; puisque je me suis donnée à lui ! Vous croyez que c'est par intérêt ? J'aurais trouvé dix fois plus riche, mais il me plaisait, lui. Il a de l'instruction, il va souvent à l'Opéra et il sait tous les airs.

Francia

Je ne t'aime plus, mais je t'adore toujours. Je ne veux plus de toi, mais je ne peux pas m'en passer.

Corr 1835

Je l'épie depuis quinze jours, et me voilà rassurée. Il mange, il dort, il cause, il s'occupe, il va et vient, il travaille gaiement, en un mot il n'est point amoureux.

Antonia

- Nous sommes de vieux amis, et nous le serons toujours, si nous avons la sagesse de persister à nous aimer modérément comme vous me l'avez promis.
- Oui, le vieux proverbe : *S'aimer peu à la fois afin de s'aimer longtemps.*

Teverino

...Une jeune fille de vingt ans, qui me disait tranquillement en comptant sur ses doigts : "j'ai aimé trois fois, et j'ai toujours été trompée ; mais cette fois-ci, je suis bien sûre d'être aimée, et de l'être pour toujours."
Huit jours après, elle était trahie ; elle fut d'abord folle, puis malade à mourir ; puis quand elle fut guérie, il se trouva qu'elle était passionnément éprise du médecin qui l'avait soignée, et qu'elle disait encore : "cette fois-ci, c'est pour toujours."
J'ignore la suite de ses aventures ; mais je gagerai qu'elle est aujourd'hui à son dixième amour, et qu'elle ne désespère de rien.

Isidora

- Est-ce que ça vous amuse ? fit-elle.
- Je ne sais pas, lui répondis-je. Autant vaut demander au blé s'il est content de se sentir pousser au soleil.

Maîtres

En général, et les femmes le savent bien, un homme qui parle d'amour avec esprit est médiocrement amoureux. Raymon était une exception ; il exprimait la passion avec art, et il la ressentait avec chaleur.

Indiana

...il resta assis à ses côtés ; et les palpitations de son cœur devinrent si violentes, que Consuelo eût pu les entendre, si elle n'eût pas été endormie.

Consuelo

Je suis imbécile, je suis abîmée de morsures et de coups. Je ne peux pas me tenir debout. Je suis dans une joie frénétique. Si vous étiez là, je vous mordrais jusqu'au sang pour vous faire participer un peu à notre bonheur enragé.
Et admirez-moi ! baissez pavillon, au milieu de ce délire, de ces tourments d'impatience, de ces palpitations brûlantes, le travail marche. J'ai fait d'immenses corrections au second volume dans ma soirée d'hier.

Corr 1831

Leurs mains se touchaient, leurs haleines se confondaient et leurs regards se cherchaient pour se fuir et pour se chercher encore. Tous ces petits prodiges s'opèrent si spontanément quand on aime la danse, qu'on n'a pas le temps de se raviser, et que la galerie n'a pas le temps de s'en apercevoir.

Tour

...le clair de lune, les appels du hautbois, les promenades sur la mousse, les robes blanches à travers les arbres, les billets sous la pierre du grand ormeau, en un mot, tout ce qu'il y a de plus charmant dans la passion, les accessoires.

Jacques

Le véritable amour, c'est quand le cœur, l'esprit et le corps se comprennent et s'embrassent. L'embrassement et la sympathie de ces trois choses se rencontrent une fois en mille ans. Mais pourvu qu'il y en ait deux, le corps et l'esprit sans le cœur, ou le cœur et le corps sans l'esprit, on se figure que la troisième existe jusqu'à ce que l'absence trop sensible de cette troisième chose, tue la sympathie des deux autres. Sacrebleu ! J'espère que voilà une démonstration.

Corr 1834

Sa robe s'est accrochée à une scie qui se trouvait là. Il m'a fallu l'aider à se dégager, et cette robe de soie qui était si douce m'a fait tressaillir jusqu'au bout des doigts. J'étais comme un enfant qui tient un papillon et qui craint de lui gâter les ailes.

Tour

Je veux bien souffrir, je veux bien devenir fou, je veux bien m'empoisonner avec ma maîtresse ou me poignarder sur son cadavre ; mais je ne veux pas être ridicule...

Horace

Anglais

On peut marcher tout un jour entre deux haies d'aubépine et de pruniers sauvages sans rencontrer un seul Anglais.

Voyageur

Au passage du Simplon, trois Anglais gravissaient devant moi la route escarpée. Le premier me regarda le dépasser sans trop souffler, et s'arrêtant, me dit d'un air émerveillé : *Il est bien pénible !* [*Vers la Mer de glace*] les trois mêmes Anglais descendaient le sentier à pic comme je le gravissais. Je reconnus très bien le premier, qui passa en me saluant d'un air de connaissance ; mais celui qui marchait derrière lui se contenta de me dire en soupirant et d'un ton lugubre : *Il est bien pénible !* Il est évident que, si j'avais rencontré ce trio une troisième fois, celui qui ne m'avait pas encore parlé m'aurait dit la même chose.

Vie

Nos prunes ont été achetées pour aller à Londres. Les milords vont faire leurs choux gras de ces fruits dont nos domestiques ne veulent pas. C'est bien fait, pourquoi sont-ils anglais ?

Corr 1865

Pour une Anglaise le vrai but de la vie est de réussir à traverser les régions les plus élevées et les plus orageuses sans avoir un cheveu dérangé à son chignon.

Voyageur

Art

Ah ! ma foi, vive l'art ! le moins dangereux, le moins ingrat de tous les amours !

Consuelo

N'est-ce pas qu'il y a des choses qui sont d'autant *mieux* qu'elles ne sont pas tout à fait *bien* ? Est-ce que le sourire naïf d'un enfant n'est pas mille fois plus charmant que l'affabilité étudiée d'un prince?

Tour

A quoi se destine-t-il ? A être artiste, sans doute, puisqu'il est pauvre diable.

Consuelo

Que dirais-tu du peintre, qui, pour mieux rendre la couleur d'une prune, essuierait la buée qui la couvre?

Impressions

Plaire par le mauvais goût est devenu aussi commun que de recevoir la croix d'honneur pour avoir fait une mauvaise action.

Corr 1836

Si en acquérant de la beauté, vous avez perdu la voix et le talent que vous annonciez, vous auriez mieux fait de rester laide.

Consuelo

Je ne suis pas de ceux qui font systématiquement la guerre aux bourgeois. Je n'ai jamais fait de croisade contre les épiciers. Je suis persuadé qu'on peut vendre des câpres et du girofle, et savoir que ce sont là des plantes adorables, non seulement parce qu'elles rapportent de l'argent, mais parce qu'elles sont gracieuses et charmantes.

Impressions

Les routes de l'art sont encombrées d'épines, mais on parvient à y cueillir de belles fleurs.

Consuelo

Bonheur

Du bonheur, monsieur ! Qui peut être riche ou pauvre et se dire heureux ! Pauvre, on a des privations ; riche, on a des remords.

Isidora

Le temps n'est plus, mon ami, où je croyais au bonheur comme condition indispensable de l'existence. La jeunesse est ambitieuse, et ses souffrances sont pleines d'orgueil et d'injustice. En vieillissant, on accepte tout. On se contente de respirer l'air et de voir se lever le soleil. C'est un assez beau spectacle pour qu'un animal de notre espèce sache s'en accommoder.

Corr 1836

C'est le droit de l'homme de chercher à être heureux, et c'est peut-être le devoir de celui qui a des moyens.

Ville

Dire que tous les hommes ne se valent pas en venant au monde, et ne méritent pas tous le bonheur, c'est dire qu'il y en a qui sont condamnés à l'enfer avant de naître.

Péché

Communisme, etc

Un avocat de mes amis disait un jour en riant à un riche client qui lui parlait à satiété de ses domaines : "Des terres ? Vous croyez qu'il n'y a que vous pour avoir des terres ! j'en ai aussi, moi, sur ma fenêtre, dans des pots à fleurs ; et elles me donnent plus de plaisirs et moins de soucis que les vôtres." Depuis, cet ami a fait un gros héritage ; il a eu des terres, des bois, des fermes, et des soucis par conséquent.
En abordant l'idée communiste, qui a beaucoup de grandeur parce qu'elle a beaucoup de vérité, il faudrait donc commencer par distinguer ce qui est essentiel à l'existence complète de l'individu de ce qui est essentiellement collectif, dans sa liberté, dans son travail. Voilà pourquoi le communisme absolu, qui est la notion élémentaire, par conséquent grossière et excessive, de l'égalité vraie, est une chimère ou une injustice.

Vie

Ceux qui accusent les écrits socialistes d'incendier les esprits, devraient se rappeler qu'ils ont oublié d'apprendre à lire aux paysans.

Péché

Correspondance

Pour mon malheur, je suis douée des plus infatigables, des plus persévérants correspondants que l'enfer ait suscités à une pauvre créature nonchalante et paresseuse. Il y a des gens qui après une ou deux lettres inutiles se le tiennent pour dit, mais ceux là ! rien ne les rebute, pendant un an, deux ans, trois ans, ils soutiennent la gageure, ils m'assassinent en ports de lettres, ils m'en font payer qui viennent de Naples, de la Sologne, de la Guadeloupe, de la Russie. [...] oh ! que le diable emporte, que le choléra morbus empoigne ces insipides voyageurs qui ont la fantaisie d'associer leurs semblables aux ennuis de leurs insipides voyages !

Corr 1832

C'est la lettre d'un fou [...] qui me dit que je suis condamnée aux châtiments éternels et qu'il est trop tard pour que je me repente de mes erreurs. Alors, vous comprenez que je ne me donnerai pas une peine inutile et que je resterai dans mon péché.

Corr 1853

J'aime bien vos lettres, mais j'aime encore mieux vous. Cependant je m'étais si bien habituée aux petites lettres *emberlificotées* de Chopin, que je le prierai de continuer à m'en écrire une tous les jours quand je serai à Paris.

Corr 1843

Costume d'homme

Je me fis donc faire une *redingote-guérite* en gros drap gris, pantalon et gilet pareils. Avec un chapeau gris et une grosse cravate de laine, j'étais absolument un petit étudiant de première année. Je ne peux pas dire quel plaisir me firent mes bottes : j'aurais volontiers dormi avec, comme fit mon frère dans son jeune âge, quand il chaussa sa première paire.

Vie

Critiquez mon costume dans d'autres idées et dans d'autres termes, si vous avez envie de disserter gravement sur un accessoire aussi puéril et dont il vaudrait mieux que vous ne vous occupassiez pas.

Corr 1835

Le jour où je me montrai habillée comme tout le monde dans la ville, ceux des bourgeois qui ne m'y rencontrèrent pas demandèrent aux autres s'il était vrai que j'avais des pantalons rouges et des pistolets à ma ceinture.

Vie

Dites à vos amis et connaissances qu'il est absolument inutile d'avoir envie de m'embrasser pour mes yeux noirs, parce que je n'embrasse pas plus volontiers sous un costume que sous un autre.

Corr 1835

Couple

Monsieur*** chasse avec passion. Il tue des chamois et des aigles. Il se lève à deux heures du matin et rentre à la nuit. Sa femme s'en plaint. Il n'a pas l'air de prévoir qu'un temps peut venir où elle s'en réjouira.

Vie

- Hélas ! dit Metella, je ne sens plus la souplesse que j'avais autrefois, ma démarche n'est plus aussi légère ; il me semble que je m'affaisse et que je suis moins grande d'une ligne chaque jour.
- Vous êtes trop sincère et trop bonne, ma chère lady, dit le comte en baissant la voix. Il ne faut pas dire cela, surtout devant vos soubrettes ; ce sont des babillardes qui iront le répéter dans toute la ville.
- J'ai un délateur qui parlera plus haut qu'elles, répondit Metella ; c'est votre indifférence.

Metella

Sabina et Léonce se retrouvaient donc dans un tête-à-tête assez émouvant, après avoir agité entre eux des idées brûlantes dans des termes glacés.

Teverino

J'ai assisté avant-hier à la bénédiction nuptiale de Duvernet avec une grosse grande large lourde, rouge, ronde, fille de seize ans. Si elle a de l'appétit en proportion de ses dimensions, elle doit être une rude mangeuse et je crains fort pour ce pauvre Charles qui est maigre, blême, chauve, frêle, pâle et certainement très faible des reins, pauvre diable ! il faut qu'il soit fou pour avoir entrepris une pareille expédition. Rien qu'à faire le tour de sa femme, il est capable de mettre une année.

Corr 1832

Si vous l'eussiez vue, toute fluette, toute pâle, toute triste, le coude appuyé sur son genou, elle toute jeune, au milieu de ce vieux ménage, à côté de ce vieux mari, semblable à une fleur née d'hier qu'on fait éclore dans un vase gothique, vous eussiez plaint la femme du colonel Delmare, et peut-être le colonel plus encore que la femme.

Indiana

En observant ces pauvres femmes se tenir debout derrière leurs maris, les servir avec respect, et manger ensuite leurs restes avec gaieté, les unes allaitant un petit, les autres esclaves déjà, par instinct, de leurs jeunes garçons, s'occupant d'eux avant de songer à leurs filles et à elles-mêmes, elle ne vit plus dans tous ces bons cultivateurs que des sujets de la faim et de la nécessité ; les mâles enchaînés à la terre, valets de charrue et de bestiaux ; les femelles enchaînées au maître, c'est à dire à l'homme, cloîtrées à la maison, servantes à perpétuité, et condamnées à un travail sans relâche au milieu des souffrances et des embarras de la maternité.

Consuelo

Dents

De toute sa jeunesse envolée [*M. de Bois-Doré*] n'avait conservé que des dents, un peu longues, mais encore blanches et bien rangées, avec lesquelles il affectait de casser des noisettes au dessert, pour que l'on y fît attention. On disait même, chez ses voisins, qu'il était fort contrarié si l'on oubliait d'en mettre pour lui sur la table.

Bois-Doré

Dès demain, on me remet quatre dents à mon dentier et il n'y paraît plus. C'est joli l'industrie humaine ! Les hommes fossiles n'avaient pas trouvé ça !

Corr 1864

Deuil

Lorsqu'à l'heure de la toilette, Camille vint pour la coiffer, [*Julie*] la renvoya avec humeur en lui disant :
- A quoi bon ?
Puis elle la rappela, et par un caprice soudain, elle lui demanda si, depuis trois jours, son dernier demi-deuil n'était pas absolument fini ?
- Eh oui, madame ; dit Camille, bien fini ! et madame la comtesse a tort de ne pas le quitter. Si elle le garde encore quelque temps, cela fera très mauvais effet.
- Comment cela, Camille ?
- On dira que madame prolonge ses regrets par économie, afin d'user ses robes grises.
- Voilà un raisonnement très fort, ma chère, et je m'y rends. Apportez-moi vitement une robe rose.
- Rose ? Non, madame, ce serait trop tôt. On dirait que madame portait son deuil à contrecœur et qu'elle change d'idée comme de robe. Il faut à madame une jolie toilette de chiné bleu de roi à bouquets blancs.

Antonia

- Ah ! vous voulez qu'une jeune femme en deuil se compromette en venant se promener chez un garçon de votre âge ?
- Mon âge ? Plaisantes-tu ? Suis-je d'un âge à faire parler ?
- Eh ! qui sait ? Vous avez été un volcan jadis !

Antonia

Divorce

Quand le chat a peur qu'on lui ôte le fromage, il miaule. Mais quand il tient le fromage et qu'on lui en demande un peu, il mord. C'est la conduite d'un mari qui tient la fortune de sa femme, et qui se fait gentil ou brutal selon ses intérêts particuliers.

Corr 1835

Et v'là qu'y m'ont démariée. Et j'en suis pas fâchée. Ils disent que le baron fera son appel. J'en sas rin. J'voirons. S'y n'en fait yun, y pardra l'tout. Et v'là c'que c'est.

Corr 1836

Pour ma part, j'aimerais mieux passer le reste de ma vie dans un cachot que de me remarier.

Corr 1837

Domestiques

Selon moi, dans une famille bien entendue et bien réglée, il n'y a ni *maîtres* ni *valets*, et je voudrais qu'on effaçât de la langue ces vilains mots qui n'ont plus de sens que dans le préjugé. On n'est pas le *maître* d'un homme libre qui peut vous quitter dès qu'il est mécontent de vous. On n'est *laquais* que parce qu'on veut l'être, c'est à dire qu'on a les vices de l'emploi. Le véritable mot est celui de domestique, et on doit l'entendre dans son acception littérale, *fonctionnaire dans la maison (domus)*. En effet, un domestique est un fonctionnaire et pas autre chose. Vous lui donnez un emploi chez vous selon ses aptitudes, et en vertu d'un traité qui n'engage ni lui ni vous, pour un temps déterminé. Si l'on se convient et que le marché ne soit onéreux ni pour l'un ni pour l'autre, il y a peu de raisons pour se tromper ou se haïr, il y en a même beaucoup pour rester ensemble, si l'on est honnête et raisonnable de part et d'autre ; mais il n'y en a aucune pour se condamner à vivre sous le même toit, si les caractères sont inconciliables.

Vie

Lorsque Noun vint le trouver chez lui, avec son tablier blanc et son madras arrangé à la manière de son pays, elle ne fut plus qu'une femme de chambre et la femme de chambre d'une jolie femme, ce qui donne toujours à la soubrette l'air d'un pis-aller.

Indiana

Ecrire

Un roman fini est une épine sortie du pied.

Corr 1846

[*Ma belle-mère*] me demanda pourquoi je restais si longtemps à Paris sans mon mari. Je lui dis que mon mari le trouvait bon. "Mais est-il vrai que vous ayez l'intention *d'imprimer* des livres ? - Oui, madame. - *Té !* s'écria-t-elle (c'était une locution gasconne qui signifie *Tiens* ! et dont elle avait pris l'habitude), voilà une drôle d'idée ! - Oui, madame. - C'est bel et bon, mais j'espère que vous ne mettrez pas le nom que je porte sur des *couvertures de livre imprimées* ? - Oh ! certainement non, madame, il n'y a pas de danger".

Vie

Ce ne sont pas comme vous le croyez les travaux de l'esprit qui me fatiguent. J'y suis tellement habituée à présent que j'écris avec autant de facilité que je ferais un ourlet.

Corr 1832

M. de Kératry me suivit dans l'antichambre et m'y retint quelques instants pour me développer sa théorie sur l'infériorité des femmes, sur l'impossibilité où était la plus intelligente d'entre elles d'écrire un bon ouvrage [...] et comme je m'en allais toujours sans discuter et sans lui rien dire de piquant, il termina sa harangue par un trait napoléonien qui devait m'écraser : "Croyez-moi, me dit-il gravement comme j'ouvrais la dernière porte de son sanctuaire, ne faites pas de livres, faites des enfants. - Ma foi, monsieur, lui répondis-je en pouffant de rire et en lui fermant sa porte sur le nez, gardez le précepte pour vous-même, si bon vous semble".

Vie

J'ai toujours du plaisir, et jamais du chagrin à voir mes confrères réussir ce que j'ai pu manquer.

Tour

L'inspiration est pour les artistes ce que la grâce est pour les chrétiens, et on n'a pas encore imaginé de défendre aux croyants de recevoir la grâce quand elle descend dans leurs âmes. Il y a pourtant une prétendue critique qui défendrait volontiers aux artistes de recevoir l'inspiration et de lui obéir.

Vie

...tu as souvent fort mauvais goût, mon bon lecteur. [...] Il faut, pour te plaire, qu'un auteur soit à la fois aussi dramatique que Shakespeare, aussi romantique que Byron, aussi fantastique qu'Hoffmann, aussi effrayant que Lewis et Anne Radcliffe, aussi héroïque que Calderòn et tout le théâtre espagnol ; et s'il se contente d'imiter seulement un de ces modèles, tu trouves que c'est bien pauvre de couleur. Il est résulté de tes appétits désordonnés que l'école du roman s'est précipitée dans un tissu d'horreurs, de meurtres, de trahisons, de surprises, de terreurs, de passions bizarres, d'événements stupéfiants [...] Tu as pardonné tant d'impertinences que tu m'en passeras bien une petite : c'est de te dire que tu détériores ton estomac à manger tant d'épices, que tu uses tes émotions et que tu épuises tes romanciers.

Floriani

...on donne [au lecteur] tant de choses à son niveau que le pauvre diable reste vulgaire. [...] Ne sont-ce pas les gens sans goût et sans idéal qui s'ennuient, ne jouissent de rien et ne servent à rien ? Il faut se laisser abîmer, railler et méconnaître par eux, c'est inévitable. Mais il ne faut pas les abandonner, et toujours il faut leur jeter du bon pain, qu'ils préfèrent ou non la m. Quand ils seront saouls d'ordures ils mangeront le pain, mais s'il n'y en a pas, ils mangeront la m. *in secula seculorum.*

Corr 1866

Au bout de dix ans environ, en ouvrant un in-quarto à la campagne, j'y retrouvai la moitié d'un manuscrit intitulé *Pauline*. J'eus peine à reconnaître mon écriture, tant elle était meilleure que celle d'aujourd'hui. Est-ce que cela ne vous est pas souvent arrivé à vous-même, de retrouver toute la spontanéité de votre jeunesse et tous les souvenirs du passé dans la netteté d'une majuscule et dans le laisser-aller d'une ponctuation ? Et les fautes d'orthographe que tout le monde fait, et dont on se corrige tard, quand on s'en corrige, est-ce qu'elles ne repassent pas quelquefois sous vos yeux comme de vieux visages amis ?

Pauline

Je vieillis, ma verve est bien refroidie. Sans la nécessité de remplir des engagements, je me livrerais entièrement et sans retour à la culture du chou. L'espèce humaine vaut-elle mieux?

Corr 1837

Il est, dit-on, des artistes qui ont immodérément besoin de café, de liqueurs ou d'opium. Je ne crois pas beaucoup à cela, et s'ils se sont amusés parfois à produire sous le coup d'une autre ivresse que celle de leur propre pensée, je doute qu'ils aient conservé et montré de telles élucubrations. Le travail de l'imagination est bien assez excitant par lui-même, et je confesse que je n'ai jamais pu l'arroser que de lait ou de limonade, ce qui ne passe pas pour byronien. Il est vrai que je ne crois pas à Byron ivre faisant de beaux vers. L'inspiration peut traverser l'âme aussi bien au milieu d'une orgie que dans le silence des bois ; mais quand il s'agit de donner une forme à la pensée, que l'on soit dans la solitude du cabinet ou sur les planches d'un théâtre, il faut avoir l'entière possession de soi-même.

Vie

Enfin, il est si doux de parler d'un livre qu'on ne fait pas, et si désagréable au contraire d'entendre parler de celui qu'on a fait !

Consuelo

Maintenant, beaux lecteurs, et vous, bons compagnons, permettez-moi de courir après mes héros, qui ne se sont pas arrêtés ainsi que moi sur la chaussée de la Loire.

Tour

Ecrivains, artistes, etc

Bons confrères, saintes et généreuses âmes de critiques ! Quel malheur qu'on ne songe point à établir un petit tribunal d'inquisition littéraire dont vous seriez les tourmenteurs ! Vous suffirait-il de dépecer et de brûler les livres à petit feu, et ne pourrait-on, sur vos instances, vous permettre de faire tâter un peu de torture aux écrivains qui se permettent d'avoir d'autres dieux que les vôtres? Dieu merci, j'ai oublié jusqu'aux noms de ceux qui, dès mon premier début, tentaient de me décourager...

Impressions

Je rencontrai un des écrivains les plus remarquables de ce temps-ci, Beyle, dont le pseudonyme était Stendhal [...] Il fut là d'une gaieté folle, se grisa raisonnablement, et dansant autour de la table avec ses grosses bottes fourrées, devint quelque peu grotesque et pas du tout joli.

Vie

[*Balzac*] grimpait avec son gros ventre tous les étages de la maison du quai Saint-Michel et arrivait soufflant, riant et racontant sans reprendre haleine. Il prenait des paperasses sur ma table, y jetait les yeux et avait l'intention de s'informer un peu de ce que ce pouvait être, mais aussitôt, pensant à l'ouvrage qu'il était en train de faire, il se mettait à le raconter.

Vie

(*Liszt*) Blouse étriquée, chevelure longue et désordonnée, chapeau d'écorce défoncé, cravate roulée en corde, momentanément boiteux et fredonnant habituellement le *Dies irae* d'un air agréable.

Voyageur

(*Chopin*) Chip Chip a joué avant hier à la cour en cravate blanche et pas trop content.

Corr 1841

(*Sainte-Beuve*) ...trop de cœur pour son esprit et trop d'esprit pour son cœur...

Vie

Delacroix n'a pas et n'aura pas de vieillesse. C'est un génie et un homme jeune.

Vie

...prendre du ventre comme mon ami Flaubert qui pétera de graisse et de pléthore s'il continue, sauf ça c'est le meilleur et le plus brave garçon du monde, adoré de ce qui l'entoure.

Corr 1866

Editeurs

Mon cher Buloz, renvoyez-moi donc mes revues, sacrebleu ! quelle tête que la vôtre ! c'est la vivante image de la *Revue des Deux mondes*. On croit qu'il y a quelque chose dedans, et précisément il n'y a rien ! et mon argent ? bourreau !

Corr 1834

Nous nous entendrons toujours bien pour l'argent, vous êtes le plus honnête de tous les coquins que je connais, et moi le moins fripon de vos gens de lettres.

Corr 1834

Tenez-moi de l'argent *au frais*. Je vous porterai du manuscrit tout chaud.

Corr 1835

Mon cher Buloz, je m'aperçois que de votre chef, vous avez supprimé des choses qui n'étaient ni fautes de français, ni fautes d'orthographe et les pouvoirs que je vous ai donnés ne vont guère au-delà. S'il doit en être ainsi, je garderai mes lettres et les publierai ailleurs. Je sais qu'elles ne vous plaisent pas [...] Mes romans n'auront pas ces inconvénients, et mes lettres, articles et fantaisies trouveront asile dans quelque autre journal qui ne les repoussera pas et ne me fera pas subir une espèce d'inquisition littéraire, comme vous faites maintenant, Monseigneur Buloz et ami, à qui je suis de tout cœur

George.

Corr 1835

Apprêtez-vous à me donner le reste de ce que vous me devez le 15 août. Je ne puis pas attendre moi, mon cher ami, vous le savez bien, et si votre caisse ne peut pas suivre ma plume, il faut que je cherche un éditeur plus riche que vous. Cela me ferait bien de la peine, car je ne trouverais pas un meilleur garçon dans le monde.

Corr 1834

Vous voulez aller dîner chez Véry. C'est bien vu, cela me fera plaisir. Mais il n'y a pas de nécessité à ce que je passe les nuits à travailler pour vous faire manger des truffes.

Corr 1835

Buloz ! - hein ? - Buloz !! - Hein ? - Sacré Buloz !!! - Quoi ? - De l'argent ! - Je n'entends pas. - Cinq cents francs ! - Qu'est ce que vous dites ? - Que le diable vous emporte ! vous m'avez promis 6000 francs dans quelques jours, et je vous demande 500 f pour demain. - Je n'ai pas dit un mot de cela. - Ah ! vous n'êtes donc pas sourd ? Eh bien, donnez-moi 500 f, 500 f, 500 f. - Je n'entends pas. - [...] voilà six lettres que je vous écris, mais il paraît que vous êtes sourd par les yeux, maladie étrange et qui, jusqu'à ce jour, n'a pas été décrite.

Corr 1836

Je n'ose pas compter le nombre de pages. Je crains d'en être au 7ème volume tant c'est gros et lourd. Quelle pilule vous allez avaler ! Je ris d'avance de la figure que vous allez faire [...] Bonsoir. Soyez béni, soyez loué, et adoré, *laudatus et benedictus* etc.

Corr 1836

Vous n'êtes pas un épicier, vous savez que faire des livres et les imprimer sont deux besognes bien différentes, l'une indépendante de la volonté et l'autre tout à fait de son ressort.

Corr 1836

Quand vous trouverez que j'écris trop mal pour votre journal, et quand vos imprimeurs refuseront de composer mes inepties, j'irai demander l'aumône à d'autres portes.

Corr 1836

...et pour l'amour de Dieu, ne supprimez pas tous les alinéas. S'il faut vous donner 2 sous par alinéa j'y consens, pourvu que mon récit et mon dialogue soient coupés suivant le mouvement nécessaire et les règles de sens commun. Bonsoir, mon cher vieux crasseux.

Corr 1837

M. Plon me paraît buté, mécontent, grognon au suprême degré. Il est volontiers impoli [...] je ne le vois que comme imprimeur, et imprimeur assez mal léché.

Corr 1854

Veut-il que j'écrive des deux mains ? alors qu'il imprime des deux pieds.

Corr 1837

Education des filles

J'ai horreur de ce tempérament de convention que la société fait aux femmes, et qui est le même pour tous.

Jacques

L'éducation que nous recevons est misérable, on nous donne des éléments de tout, et l'on ne nous permet pas de rien approfondir. On veut que nous soyons instruites ; mais du jour où nous deviendrions savantes, nous serions ridicules. On nous élève toujours pour être riches, jamais pour être pauvres. L'éducation si bornée de nos aïeules valait beaucoup mieux ; du moins elles savaient tricoter. La Révolution les a trouvées femmes médiocres ; elles se sont résignées à vivre en femmes médiocres ; elles ont fait sans répugnance du filet pour vivre. Nous qui savons imparfaitement l'anglais, le dessin et la musique ; nous qui faisons des peintures en laque, des écrans à l'aquarelle, des fleurs en velours et vingt autres futilités ruineuses que les mœurs somptuaires d'une république repousseraient de la consommation, que ferions-nous? laquelle de nous s'abaissera sans douleur à une profession mécanique ? Car sur vingt d'entre nous, il n'en est souvent pas une qui possède à fond une connaissance quelconque. Je ne sache qu'un état qui leur convienne, c'est d'être femme de chambre.

Valentine

Pour enseigner la retenue et la pudeur à une enfant, on lui enseigne à se regarder comme un vase sacré, et tout aussitôt, dès qu'elle est nubile, on lui désigne l'homme pour qui ce vase d'élection doit être un ustensile de ménage.

Merquem

Nous les élevons tant que nous pouvons comme des saintes, et puis nous les livrons comme des pouliches.

Corr 1843

On ne lui aura pas appris à s'occuper, et peut-être ne peut-elle même pas penser quand elle est seule.

Villemer

On ne peut pas élever une fille en cage. Il faut bien qu'elle vive, qu'elle voie, qu'elle entende et qu'elle respire.

Consuelo

Elle le salua sans gaucherie, sans cet air contraint et sournoisement pudique qu'on a trop vanté chez les jeunes filles, faute de savoir ce qu'il signifie.

Péché

Lauriane s'étonnait de comprendre aisément des choses qu'elle avait cru être au-dessus de l'intelligence d'une femme.

Bois-Doré

La jeune fille qui voit passer ces légers cavaliers rêve de les voir caracoler à la portière de sa voiture. Elle n'en aime aucun, mais tous lui plaisent.

Merquem

Le brave curé prétendait qu'elle te gâtait le jugement et t'exaltait l'imagination en te faisant lire les contes de Perrault et de Mme d'Aulnoy, qu'il qualifiait de livres dangereux.

Jacques

Son âme est un sable léger sur lequel elle fera bien de passer le râteau tous les matins, afin que son futur époux n'y trouve pas la plus légère trace et y écrive tout ce qui lui plaira, si toutefois il sait écrire quelque chose.

Merquem

Toutes les demoiselles du monde que vous voyez, et que vous blâmez, se donnent par-devant notaire, au premier venu, sans savoir comment ni pourquoi, sans connaître leur mari, sans se connaître elles-mêmes : souvent pour le plaisir de s'appeler *Madame*, et d'avoir des robes neuves. Que Dieu me préserve de laisser commettre un tel crime d'ignorance à mon enfant !

Corr 1844

Le véritable esprit des femmes pourra encore consister pendant longtemps à savoir interroger et écouter ; mais il leur est déjà permis de comprendre ce qu'elles écoutent et de vouloir une réponse sérieuse à ce qu'elles demandent.

Pauline

Enfants

[*Maurice*] est joli comme un ange et fort bon. Sa sœur est une masse de graisse, blanche et rose, où on ne voit encore ni nez, ni yeux, ni bouche. C'est un enfant superbe, quoique né imperceptible ; mais pour espérer que ce soit une jolie fille, il faut attendre qu'elle ait une figure. Jusqu'ici, elle en a deux aussi rondes et aussi joufflues l'une que l'autre

Corr 1829

J'avoue bien, malgré mon amitié pour mon frère, que c'était un enfant insupportable [...] Un jour, il lançait des tisons enflammés dans la cheminée sous prétexte de *sacrifier aux dieux infernaux*, et il mettait le feu à la maison. Un autre jour, il mettait de la poudre dans une grosse bûche pour qu'elle fît explosion dans le foyer et lançât le pot-au-feu au milieu de la cuisine. Il appelait cela étudier la théorie des volcans. Et puis il attachait une casserole à la queue des chiens et se plaisait à leur fuite désordonnée et à leurs cris d'épouvante à travers le jardin. Il mettait des sabots aux chats, c'est à dire qu'il leur engluait les quatre pieds dans des coquilles de noix et qu'il les lançait ainsi sur la glace ou sur les parquets, pour les voir glisser, tomber et retomber cent fois avec des jurements épouvantables.

Vie

...nous vîmes Charlot tout seul, se roulant dans les cendres où par bonheur, il ne se trouvait plus de feu, et violet comme une bette à force de hurler.

Maîtres

Quand vous me disiez jadis que vous aviez horreur des *moutards*, je savais bien que vous trouveriez les vôtres beaux et bons. Vous ne me dites pas comment s'appelle ce bienvenu [...] J'espère qu'il ne se nomme ni Artaxercès, ni Epaminondas, ni Polyphème, ni Polysperchon ?

Corr 1833

Je n'ai jamais fait semblant, comme bien des jeunesses que j'ai vues griller pour le mariage, d'avoir l'instinct d'une bonne poule couveuse.

Maîtres

Le soufflet que, dans mon enfance, on donnait encore aux marmots pour leur graver dans la mémoire le souvenir d'une grande émotion, d'un fait historique, d'un crime célèbre, ou de tout autre *exemple* à suivre ou à éviter, n'était pas chose si niaise que cela nous paraît aujourd'hui. Nous ne donnons plus ce soufflet à nos enfants ; mais ils vont le chercher ailleurs, et la lourde main de l'expérience l'applique plus rudement que ne ferait la nôtre.

Floriani

Je voudrais tous les matins trouver un enfant sur mon oreiller. Je me plains du peu que j'en ai. Mais malheureusement, j'ai oublié comment on les fait. Je suis vieille.

Corr 1837

Façons de dire

Ah ! les femmes, ça n'a qu'un moment, c'est comme la vigne en fleur.

Champi

La famille du père Barbeau augmentait, grâce à ses deux filles aînées qui ne chômaient pas de mettre de beaux enfants au monde.

Fadette

Une guêpe qui vous bourdonne à l'oreille, une femme qui vous taquine et vous contredit, c'est à peu près la même chanson.

Meunier

Ah ! une secousse de temps ! Ça vous embarrasse, mère Monique ? Est-ce que tout ne va pas par secousses ? Le soleil quand on le voit monter en bouffées de feu à son lever et vos yeux qui clignent en le regardant ? le sang qui nous saute dans les veines [...]? et mêmement à ce qu'on dit, la terre qui tourne comme une roue de moulin ? Vous n'en sentez pas le galop ni moi non plus ; c'est que la machine est bien graissée ; mais il faut bien qu'il y ait de la secousse, puisque nous virons un si grand tour dans les vingt-quatre heures. Et pour cela, nous disons aussi un tour de temps, pour dire un certain temps. Je dis donc une secousse et je n'en démordrai pas.

Champi

C'est une famille en beurre et bonne à mettre en pot.

Corr 1870

Il se prit de courir du côté de la Priche, sans même songer où il allait, mais se laissant emporter par son instinct, comme un pigeon qui court après sa pigeonne, sans s'embarrasser du chemin.

Fadette

Et puis, fit-il en riant, un beau gars comme toi, tout verdissant de jeunesse, et qui n'est ni écloché ni de son esprit ni de son corps, peut bien donner du réveillon au plaisir de se montrer charitable.

Champi

M. Lerebours se leva encore plus tôt que de coutume, ce qui n'était guère possible, à moins de se lever, comme on dit, la veille.

Tour

[*Ils se mirent*] à chuchoter autour d'elle : - Voyez donc la grelette qui croit charmer Landry Barbeau ! grelette, sautiote, farfadette, chat grillé, grillette, râlette -, et autres sornettes à la manière de l'endroit.

Fadette

Je vois mal, ce qui fait que je regarde peu.

Antonia

Je vois que tu es de ceux qui retournent trop leur plat sur le feu et qui le laissent brûler. Tu regardes le mauvais côté des choses, et tu es toujours dans l'envers de ton étoffe. A quoi te servira ton esprit, si ce n'est point à voir ce qui est bon dans la vie ?

Ville

Ce lit était si beau et si mœlleux que je faillis lui faire des excuses de m'être couché dedans.

Mauprat

...tu es prête à te trouver mal de frayeur chaque fois que le lutin apparaît, et pourtant tu t'arranges toujours de manière à l'évoquer dans l'obscurité.

Jacques

- Comment t'appelles-tu, toi, monsieur l'effronté?
- *La Flèche*, pour vous obéir. J'ai l'honneur d'être né Français, dans la ville dont je porte le nom.
- L'honneur est pour la France, assurément !

Bois-Doré

- Comment diable s'appelait-elle ? [...] Allons, tu dois t'en souvenir, maestro ; elle était laide comme tous les diables.
- C'était moi, répondit Consuelo...

Consuelo

Quand on veut que la pêche mûrisse, il ne faut point arracher le noyau.

Maîtres

Femmes

...cette moitié intelligente et perspicace du genre humain.

Péché

Ah ! ah ! tu rêves aux anges, toi? Eh bien ! ne t'éveille pas, car tu ne trouveras dans la vie réelle que des femmes !

Gabriel

Je suis trop bien élevé pour tracer un chiffre qui désignerait au juste ce que j'appellerai, sans offenser ni compromettre personne, l'âge *indéfinissable* d'une femme.

Metella

Ces femmes-là aiment parfois l'homme qu'elles trompent cent fois le jour.

Isidora

Les plus belles étoiles font bon ménage côte à côte dans le ciel ; mais de deux filles de la mère Eve, il y en a toujours une au moins qui est gênée par la comparaison qu'on peut lui faire de l'autre.

Maîtres

Elle était d'une ignorance fabuleuse, malgré le brillant et le mordant de son caquet. C'était elle qui disait une *épître à l'âme* au lieu d'un épithalame, et *Mistouflé* pour Méphistophélès.

Vie

Vrai, elle est trop belle pour être une demoiselle de compagnie.

Villemer

...elle était encore mariable, car elle n'avait pas dépassé de grand'chose la trentaine, et se ressouvenait bien, dans son visage et dans sa taille, d'avoir été une très-jolie femme.

Maîtres

[*Ma mère*] est de ces personnes qui passeront volontiers la nuit à raccommoder vos chausses, et qui d'un mot vous briseront le cœur, pensant que la peine qu'elles ont prise pour vous rendre un service matériel les autorise à vous causer toutes les douleurs de l'âme.

Gabriel

Que voulez-vous, Jacques ? me dit-elle du ton dont elle aurait dit aux vaches de la montagne : "je n'ai pas de sel à vous donner, mes pauvres bêtes."

Roche

Elle avait su conserver tant de pétulance et de naïveté qu'on ne la voyait pas engraisser.

Villemer

Veneranda avait en ce moment sur la tête un turban, des fleurs, des plumes, des rubans, une partie de ses cheveux poudrés et une autre teinte en noir. Elle essayait d'ajouter des crépines d'or à cet attirail qui ne la faisait pas mal ressembler à une des belettes empanachées dont parle La Fontaine.

Mattea

Elle faisait de très petits points réguliers avec une aiguille imperceptible sur un morceau de baptiste dont elle comptait la trame fil par fil. La vie de la grande moitié des femmes se consume, en France, à cette solennelle occupation.

Pauline

Elle prétend que les femmes qui occupent leurs mains et leurs yeux à ces travaux d'aiguille y mettent beaucoup plus de leur esprit qu'elles ne veulent se l'avouer à elles-mêmes. C'est, selon elle, une façon de s'abrutir pour se soustraire à l'ennui d'exister.

Villemer

Les femmes d'esprit n'inspirent que ce qu'elles veulent... aux hommes d'esprit !

Merquem

Une dévote, peut-être ! qui veut me mener à l'église et me présenter au monde des sacristies, comme un trophée de sa béate victoire. En Italie aussi, des femmes de qualité ont voulu me convertir. Elles m'appelaient dans leur oratoire, et m'eussent chassée de leur salon.

Isidora

Toute femme du monde est née jalouse.

Teverino

C'est une vieille dame dont les cheveux gris tournent au bleu ardoise, et qui a les mains si maigres que, tous les matins, il faut chercher ses bagues dans les balayures.

Villemer

Elle aime le danger ; je n'aime pas beaucoup ça chez une femme, moi, parce que quand les femmes se mettent à être quelque chose, ce n'est jamais à demi. Braves, elles deviennent téméraires, enragées même, et vous traitent de capon l'homme le plus courageux, pour peu qu'il montre la prudence nécessaire.

Merquem

Le bal était somptueux, mais par un de ces hasards qui se rencontrent souvent dans le monde, il y avait une quantité exorbitante de femmes vieilles et laides.

Metella

La femme est pauvre sous le régime d'une communauté dont son mari est le chef ; le pauvre est femme, puisque l'enseignement, le développement, est refusé à son intelligence, et que le cœur seul vit en lui.

Isidora

La bonté des femmes est immense. D'où vient donc que la bonté n'a pas de droits à l'action sociale en législation et en politique ?

Villemer

On ne sait pas ce que c'est que le mépris d'une femme pour une femme.

Isidora

Eh bien, cette demoiselle est une... Comment vous dirai-je ? ce n'est certainement pas une poseuse ; c'est une *toquée*, et en vous disant ça, je vous fais son éloge en un mot, je la canonise. Il n'y a de bon en ce monde que les *toqués*.

Merquem

Le grand défaut des femmes qui racontent leur jeunesse est de se souvenir d'elles-mêmes avec un peu trop d'amour.

Questions

Femmes voilées

Vous cherchez la lumière et l'enseignement, vous ne les trouverez point chez moi. Mais si vous les cherchez au couvent, vous les y trouverez encore moins, car on abaissera sur votre visage un voile épais, et l'on vous dira que ce voile doit fermer à jamais les yeux de votre corps au spectacle des passions humaines, et ceux de votre intelligence à l'esprit de la lettre sacrée.

Marcie

- ...il me semble que cette femme est belle et encore jeune. Ne seriez-vous point d'avis de lui laisser reprendre ici le costume morisque, qui est fort galant sauf le voile, qui est par trop islamite ?

Bois-Doré

Fortune

- Qu'est-ce que ça vaut ?
- Je vous l'ai dit cent fois : pour la comtesse d'Estrelle, qui vient d'en accepter la propriété, ça vaut dix mille livres ; pour vous, qui en avez envie et besoin, ça vaut le double. Reste à savoir si la comtesse n'en exigera pas le triple.

Antonia

Tais-toi ! il ne faut jamais dire le chiffre d'une fortune. Quand ces chiffres-là sonnent dans l'air, les murs, les arbres, les pots à fleurs même ont des oreilles.

Antonia

- Ma chère, lui dit-elle tout émue, je vous apporte cinq millions ou la misère : choisissez.
- Ah ! ah ! un vieux mari, n'est-ce pas ? dit Julie ; vous tenez à votre idée ?
- Un très vieux mari ; mais cinq millions !
- Avec un grand nom sans doute ?
- Pas le plus petit nom ! un roturier tout à plat, mais cinq millions, Julie !

Antonia

Française (Académie)

Demandez au cocher de louage, voire à votre cocher si vous en avez un à vous, ce que c'est que cet édifice où il vous mène. C'est, vous dira-t-il, un endroit où il y a des livres. Il ne sait pas seulement s'il y a là des hommes.

Questions

...comme bien d'autres grandeurs du passé, l'Académie française est une grandeur inutile et dès lors placée devant nous comme une lampe qui achève de brûler. [...] On a dit, dans les hautes régions de la philosophie nouvelle, qu'un jour viendrait où chaque homme serait son propre pape et son propre César. On peut dire dès aujourd'hui que chaque esprit un peu sérieux porte en soi sa propre Académie.
Et pourtant la fiction d'un de ces vénérables fauteuils est encore un objet d'envie, un sujet de dépit et d'amertume pour quelques hommes qui désirent cette faveur sans l'espérer et qui crient que ces raisins-là sont trop verts. Pour tous ceux qui voient le progrès sous son véritable aspect, et pour les femmes, qu'il s'agit d'initier à la notion saine de ce progrès en voie de formation, il y a une formule plus respectueuse : c'est que ces raisins-là sont trop mûrs.

Académie

Fumer

Hum ! dit la princesse en jetant son cigare sur le journal que tenait l'abbé, et qui prit feu sous le nez du digne personnage...

Secrétaire

Laisse fumer ton Gaulois, ma Laure, la pipe est le chemin de la vertu, l'homme qui fume est incapable d'une mauvaise pensée, l'homme qui ne fume pas est capable de tous les crimes. Que ton enfant fume au berceau, que ta grand-mère fume, fume toi-même, et vous serez enfin des êtres accomplis.

Corr 1834

Quand j'eus fait environ soixante fois le tour de la chambre et fumé une douzaine de cigarettes, mon parti fut pris. Je m'arrêtai auprès du sofa, et sans m'inquiéter du sommeil de ma jeune compagne :

- Juliette, lui dis-je, voulez-vous être ma femme ?

Leone

Galanterie

- Vous vous appelez Flore ! dit Mourzakine d'un air enivré en pressant contre sa poitrine le bras de la marquise.
- Eh bien ! oui, je m'appelle Flore ! ce n'est pas ma faute.
- Ne vous en défendez pas, c'est un nom délicieux, et qui vous va si bien!
Il s'assit auprès d'elle en se disant : Flore ! c'était le nom de la petite chienne de ma grand-mère. C'est singulier qu'en France ce nom soit un nom distingué ! Peut-être que le marquis s'appelle *Fidèle*, comme le chien de mon grand oncle !

Francia

- Mlle Esther n'est plus ici depuis deux mois, répondis-je. Je ne l'ai pas connue. C'est moi qui la remplace.
- Oh ! que non !
- Pardonnez-moi ?
- Dites que vous lui succédez ! Le printemps ne remplace pas l'hiver, il le fait oublier.
- L'hiver peut cependant avoir du bon.
- Oh ! vous n'avez pas connu Esther ! Elle était aigre comme la bise de décembre, et quand elle approchait de vous, on se sentait venir des rhumatismes.

Villemer

- Si c'est une dame qui est là, dit-il en riant, qu'elle me réponde. Madame, êtes-vous habillée ? peut-on vous présenter ses hommages ?
- Monsieur, répondit Consuelo [...] veuillez garder vos hommages pour une autre, et me dispenser de les recevoir. Je ne suis pas visible.
- C'est-à-dire que c'est le bon moment pour vous regarder...

Consuelo

- ...j'ai cinquante idées dans la tête.
- Cinquante, c'est beaucoup, dit la fillette avec une intention un peu moqueuse ; il y a tant de gens qui seraient heureux d'en avoir une !
- Eh bien, si je ne suis pas capable d'en avoir cinquante, j'en ai au moins une qui ne me lâche pas depuis une heure.
- Et je vas vous la dire, ainsi que celles que vous aviez auparavant.
- Eh bien ! oui, dis-la si tu la devines, Marie ; dis-la-moi toi-même, ça me fera plaisir.
- Il y a une heure, reprit-elle, vous aviez l'idée de manger... et à présent vous avez l'idée de dormir.
- Marie, je ne suis qu'un bouvier, mais vraiment tu me prends pour un bœuf.

Mare

Hommes

Il est fort rare qu'un homme parle de lui-même sans dire bientôt quelque impertinence.

Metella

C'était un vieux garçon, surmonté d'un gazon jaunâtre.

Vie

Monsieur Junius Black était cependant assez beau garçon, jeune encore et très propre pour un savant.

Roche

Il avait de la vivacité, de l'enthousiasme, et, ce qui est extrêmement rare chez les jeunes gens, pas la moindre affectation. Avec lui, on n'était pas forcé de pressentir le grand homme en herbe, la puissance intellectuelle méconnue et comprimée ; c'était un vrai Suisse pour la franchise et le bon sens, une sorte d'Allemand pour la sensibilité et la confiance ; il n'avait rien de français.

Metella

Il a l'air d'un ours, d'un blaireau, d'un loup, d'un milan, de tout plutôt que d'un homme !

Mauprat

...habitué à passer huit mois de l'année sur une côte quelconque de France, les pieds dans la vague, le soleil sur la tête, le vent dans les cheveux. Aussi était-il hâlé comme un vrai marin, hérissé comme un oursin et calleux comme une langouste.

Merquem

Sauf l'habit, c'était la statue du commandeur descendue de son piédestal : même démarche compassée, même pâleur, même absence de regard, même face solennelle et pétrifiée [...] Si au lieu de lui dire "Pardonnez-moi de vous avoir fait attendre, j'étais dans mon parc", il lui eût dit : "j'étais en train de me faire enterrer", [*Emile*] n'eût pas été trop surpris.

Péché

Il mangeait avec volupté, il s'endormait sur tous les fauteuils, et le reste du temps, il prenait du tabac. Il était ainsi toujours occupé à satisfaire quelque appétit physique. Je ne pense pas qu'il eût une idée par jour.

Marquise

Il avait l'air d'un porc-épic qui se serait trouvé dans un manchon ouaté.

Merquem

...lui qui sans aimer Alice, était blessé de ne lui avoir jamais plu...

Isidora

Au milieu du groupe ambulant qui chantait ou criait autour de lui, il s'élevait comme un pin robuste et fier au sein du taillis, ou comme la Calypso de Fénelon au milieu du menu fretin de ses nymphes, ou enfin comme le jeune Saül parmi les bergers d'Israël. (Il aimait mieux cette comparaison.)

Horace

Tant que nos femmes nous donnent de la jalousie, nous en sommes amoureux. Ça nous fâche, nous crions, nous battons même quelquefois ; ça les chagrine, elles pleurent ; elles restent à la maison, elles nous craignent, elles s'ennuient, elles ne nous aiment plus. Nous voilà bien contents, nous sommes les maîtres !... Mais voilà aussi qu'un beau matin, nous nous avisons que si personne n'a plus envie de notre femme, c'est parce qu'elle est devenue laide, et alors, voyez le sort ! nous ne les aimons plus et nous avons envie de celles des autres...

Champi

Horace avait pris dans les romans où il avait étudié la femme, des idées si vagues et si diverses sur l'espèce en général, qu'il jouait avec Marthe comme un enfant ou comme un chat joue avec un objet inconnu qui l'attire et l'effraie en même temps.

Horace

Il faisait un journal jour par jour, heure par heure, de tout ce qui se disait et se faisait autour de lui, et il avait ainsi, disait-on, vingt-cinq ans de sa vie consignés, jusqu'aux plus insignifiants détails, dans une montagne de cahiers pour lesquels il lui fallait une voiture de transport dans ses déplacements et une chambre particulière dans ses établissements. Je ne crois pas qu'il y ait eu d'homme plus chargé de ses souvenirs et plus embarrassé de son passé.

Vie

...si certaines dames influentes et d'humeur légère ne l'eussent de temps en temps rendu infidèle à sa femme, qu'il adorait pourtant, mais dont il disait tout bas, ingénument, que dans son intérêt, il fallait bien la tromper un peu...

Antonia

C'était un vilain petit homme de cinquante ans, maigre, vif, l'œil très noir, le teint très blême, avec une perruque noire aussi, mais d'un noir invraisemblable, un habit noir raide et serré, la culotte et les bas noirs, un jabot très blanc, rien qui ne fût crûment noir ou blanc dans sa mince personne : c'était une pie pour le plumage, le babil et la vivacité.

Francia

Il était aussi incapable de faire quelques pas en personne sur la scène du monde et de parler à une femme qu'il l'eût été de commander un navire et de traiter avec des Algonquins.

Antonia

Hommes d'Etat, de loi, d'Eglise ou de science

Tu ne vois pas comment marchent les Etats. Si tu le voyais, tu trouverais fort surprenant que les hommes d'Etat fussent autre chose que de vieilles commères.

Consuelo

Mon procès touche à sa conclusion. J'en attends le résultat avec un calme philosophique. J'ai trois juges, dont l'un avait, du temps qu'il n'était pas veuf, l'innocente habitude de vendre sa femme au plus offrant, l'autre est abruti par l'onanisme, le troisième est, je crois, honnête, mais constipé, goutteux, hargneux, jaloux de la force et de la santé du prochain. Tout est pour le mieux, vous le voyez, dans le meilleur des mondes possibles.

Corr 1836

Je vois, comme tout le monde peut le voir, les funestes et les honteuses conséquences du célibat des prêtres. Qu'ils se marient donc et ne confessent plus !

Impressions

- Je l'ai aperçu en passant qui buvait chopine et pinte avec M. le curé au presbytère.
- Ah ! oui, dit la mère Bricolin, il doit être au *précipitère*. M. le curé a grand'soif et grand'faim après la grand-messe, et il aime qu'on lui tienne compagnie.

Meunier

Oui, je commence à croire qu'un prêtre est un homme et j'ai grand peur pour ces Messieurs que ma femme ne se confesse pas beaucoup !

Quintinie

- Curé, répondit [l'inconnu], rappelez-vous l'histoire de l'évêque qui, faisant gras par inadvertance un vendredi, en fut averti par son grand vicaire : le malheureux ! s'écria l'évêque, ne pouvait-il se taire jusqu'à la fin du dîner !

Consuelo

L'abbé était un peu le chat de la maison, oublieux quand le foyer s'éteignait.

Antonia

La première fois [*que je revins de la messe*] ma grand-mère me demanda ce que j'avais vu : "j'ai vu, lui dis-je, le curé qui déjeunait tout debout devant une grande table, et qui, de temps en temps, se retournait pour nous dire des sottises."

Vie

Il est toujours utile à l'homme de savoir, et nulle part Jésus n'a prescrit l'ignorance.

Corr 1836

Les vieux précepteurs n'aiment pas les élèves qui ont l'air de comprendre plus vite qu'ils n'enseignent.

Consuelo

Inattendu

(…avant Gaston Leroux)

Le presbytère n'a rien perdu de sa propreté, ni le jardin de son éclat.

Marcie

Jour de l'an

Ma chère Maman. Je vous demande pardon d'avoir oublié que vous teniez à la formalité du jour de l'an. Je vous avoue que je n'ai jamais observé cette formalité sans la trouver *bête*, parce que je la trouve *froide*. Je ne permets pas à mes enfants de venir me réciter une phrase banale, quand je sais que leur vœu de tous les jours est pour moi. Ainsi ce n'est pas mépris pour un devoir. C'est de ma part, incrédulité à la sainteté qu'on attribue à un usage un peu niais, convenez-en. Une lettre, commandée par la date du mois, une tendresse qui a besoin pour se réveiller d'un jour dit, et de l'exemple de tous les demandeurs d'étrennes, cela me paraît peu filial.

Corr 1836

(*A Flaubert*) Moi aussi, cher Cruchard, je t'embrasse au commencement de l'année et te la souhaite tolérable, puisque tu ne veux plus entendre parler du mythe bonheur.

Corr 1875

Main

Une main froide me gêne, une main humide me répugne, une pression saccadée m'irrite, une main qui ne prend que le bout des doigts me fait peur ; mais une main souple et chaude, qui sait presser la mienne bien fort sans la blesser [...] m'inspire une confiance et même une sympathie subite.

Désertes

...ne sachant que faire de cette main de femme qu'il ne croyait pas devoir baiser et qu'il n'osait pas serrer, il la laissa retomber, et bégaya un remerciement fort embrouillé, mais empreint d'une sorte d'effusion.

Antonia

Mon garçon, quand on voit blanchir la main et pousser les ongles d'un ouvrier, on peut dire que c'est mauvais signe ; car ses outils se rouillent et ses planches moisissent.

Tour

Maladies

J'ai un point de côté qui fait que je marche tout de travers et me tenant la hanche comme une personne embarrassée de garder un clystère.

Corr 1830

...à peine le cœur est soulagé que l'estomac se gâte. L'estomac se guérit, vient le mal de tête et puis la colique et puis les rhumatismes. Il ne manque que le mal de dents et les cors aux pieds.

Corr 1852

Ils le laissaient entre deux médecins, dont l'un le traitait pour une gastrite, et l'autre pour une affection cérébrale. A force de glace appliquée, par l'un sur l'estomac, et par l'autre sur la tête, le comte se trouva bientôt guéri des deux maladies qu'il n'avait pas eues.

Metella

Elle mourut le jour de la Chandeleur, après avoir été si mieux qu'on la croyait guérie.

Champi

Vous voilà donc encore malade ? Voyons, il ne faut pas tant regarder de l'autre côté avant d'y être.

Corr 1854

- Elle se faisait passer pour malade, et la voilà qui se promène avec...
- Avec son médecin, comme vous avec le vôtre. Elle s'amuse par ordonnance.

Teverino

- Il faudrait tâcher de le guérir.
- Ah ! c'est la fièvre de misère ! répondit la vieille en regardant François ; ça se guérirait avec de la bonne soupe, mais ça n'en a pas.

Champi

Je vas tout à fait bien, sans cependant pouvoir rouler ma tête entre mes épaules comme celle d'Arlequin.

Corr 1854

Ce n'est rien, disait avec un aimable sourire [*le joli docteur Kreyssneifetter*], rien du tout. C'est le choléra, le choléra-morbus, la chose la plus commune du monde dans ce temps-ci, et la maladie la mieux connue. [...] Raillons le choléra, c'est la seule manière de le traiter.

Lélia

...Chopin, à qui tous mes soins n'ont pu faire pousser l'ombre d'un mollet.

Corr 1843

A. m'a fait une *scène* parce que j'ai risqué tantôt de prendre un rhume à la fenêtre ouverte. Cet excellent ami ne veut pas comprendre qu'il vaut mieux enrhumer son nez que de priver son âme d'une telle jouissance.

Impressions

Vous m'assurez donc que je ne m'ennuierai pas aujourd'hui avec vous ? Oh ! vous êtes le meilleur des hommes. Tenez, je ressens déjà l'effet de votre promesse, comme les malades qui se trouvent soulagés par la vue du médecin, et qui sont guéris d'avance par la certitude qu'il affecte de les guérir. Allons, je vous obéis, docteur improvisé, docteur subtil, docteur admirable !

Teverino

Je ne crois pas à la médecine ; jusqu'ici, elle n'a trouvé le moyen d'enlever le mal qu'en attaquant la vie dans son principe. Sous quelque forme que ce soit, c'est de l'empirisme, et j'aime mieux plier sous la main de Dieu que bondir sous celle d'un homme.

Péché

Enfin, *ça passera, le mal ou celui qui l'endure*, disait mon vieux curé, *ça ne peut pas durer.*

Corr 1867

Le médecin s'étonna de trouver Alice si faible, et s'émerveilla des terribles effets de la migraine chez les femmes.

Isidora

...elle guérissait les blessures, foulures et autres estropisons. Elle s'en faisait bien un peu accroire, car elle vous ôtait des maladies que vous n'aviez jamais eues, telles que le décrochement de l'estomac ou la chute de la toile du ventre.

Fadette

Tous vos malades sont des gens brillants de santé. Maurice engraisse visiblement, il prétend que vous l'avez *trop guéri.*

Corr 1870

Ils sentirent que leurs baisers étaient brûlants, et ne se dirent pas que ce pouvait être de fièvre. La seule fièvre était en ce moment-là celle de l'amour qui fait vivre. Ils n'avaient plus souci de celle qui fait mourir.

Antonia

Bah ! zut, troulala, aïe donc, aïe donc, je ne suis plus malade ou du moins je ne le suis plus qu'à moitié.

Corr 1867

Mari, mariage

- Eh bien, vivat ! que ses esprits reposent en paix et que le mariage lui soit léger ! Savez-vous, Léonce, que c'est un joug affreux que celui-là ?
- Oui, il y a des maris qui battent leur femme.
- Ce n'est rien ; il y en a d'autres qui les font périr d'ennui.

Teverino

...la grossière jalousie des maris ! ils imaginent tout et ne comprennent rien.

Indiana

Une femme ne connaît pas son mari en l'épousant et c'est une folie de penser qu'elle le connaîtra en vivant avec lui.

Jacques

Elle n'aima pas son mari, par la seule raison peut-être qu'on lui faisait un devoir de l'aimer.

Indiana

Il y a une loi de nature qui nous force à préférer tout d'un coup un étranger à nos parents. Sans cela, quelle fille bien élevée pourrait se résoudre à se marier ?

Corr 1843

Nous tournons au mariage américain ; bientôt on jouera l'amour conjugal à pile ou face !

Merquem

- Il y a déjà deux ans que votre fille est à marier, et elle n'a pas encore pris son parti ? dit Germain.
- Elle ne veut pas se presser, et elle a raison. Quoiqu'elle ait la mine éveillée et qu'elle vous paraisse peut-être ne pas beaucoup réfléchir, c'est une femme d'un grand sens, et qui sait fort bien ce qu'elle fait.
- Il ne me semble pas, dit Germain ingénument, car elle a trois galants à sa suite, et si elle savait ce qu'elle veut, il y en aurait au moins deux qu'elle trouverait de trop et qu'elle prierait de rester chez eux.
- Pourquoi donc ? vous n'y entendez rien, Germain. Elle ne veut ni du vieux, ni du borgne, ni du jeune, j'en suis quasi certain, mais si elle les renvoyait, on penserait qu'elle veut rester veuve, et il n'en viendrait pas d'autre.
- Ah ! oui ! ceux-là servent d'enseigne !

Mare

- Elle t'aimait donc beaucoup ?
- Non ! Elle m'aimait autant que peut aimer une femme qui ne doit ni ne veut rompre avec son mari.
- Bah ! ce n'est pas là une raison ! Au contraire, les obstacles stimulent la passion.
- Et ils l'usent !

Villemer

Je ne te dirai pas, comme font tous les amants, que son caractère et son esprit sont faits exprès pour assurer le bonheur de ma vie. Ce serait une phrase de clerc de notaire, et l'approche du mariage ne m'a pas encore rendu imbécile à ce point.

Jacques

- C'est vrai, mon père : il y a de bonnes filles dans notre village. Il y a la Louise, la Sylvaine, la Claudie, la Marguerite... enfin, celle que vous voudrez.
- Doucement, doucement, mon garçon, toutes ces filles-là sont trop jeunes ou trop pauvres... ou trop jolies filles ; car, enfin, il faut penser à cela aussi, mon fils. Une jolie femme n'est pas toujours aussi rangée qu'une autre.
- Vous voulez donc que j'en prenne une laide ? dit Germain un peu inquiet.

Mare

- ...si vous vous sentiez le même courage que moi...
- Le courage de nous mettre en ménage, n'est-ce pas ? reprit Tonine qui se vit forcée d'achever la phrase. Eh bien ! non, mon cher camarade, je n'aurai jamais le *courage* de me marier par *courage*. J'ai la fantaisie de me marier joyeusement, par amitié et avec toute confiance dans mon sort.

Ville

Vraiment, Jacques, vous allez vous marier ? Elle sera bien heureuse votre femme ! mais vous, mon ami, le serez-vous ?

Jacques

- Voulez-vous entrer chez moi comme aide-jardinier ? Vous ne ferez rien, vous dormirez le jour : la nuit vous veillerez en montant la garde sans bruit dans le jardin. Je suis obsédée par un officier de la garnison qui est follement épris de moi et qui risque de m'enlever. C'est un enragé, un diable qui ferait comme il dit et qui est très fort, je vous en préviens. Mes gens sont poltrons, gagnés par lui peut-être, et vous voyez que, seule dans cette demeure isolée, je ne recevrais pas de secours du dehors. Frappez donc cet homme si vous le voyez rôder sous mes fenêtres ou même dans mon enclos. Ne le tuez pas, mais traitez-le de façon à lui ôter l'envie de revenir. Chaque fois que vous lui donnerez une leçon de ce genre, vous recevrez cent francs.
- Mais s'il est plus fort que moi ? répondit Hilarion, s'il me tue ?
- Qui ne risque rien n'a rien, répliqua la dame.
C'est assez juste, pensa le lutteur.
Et il accepta.
Huit nuits se passèrent sans qu'une feuille remuât, sans qu'un grain de sable grinçât dans le jardin. A la neuvième nuit, par un beau clair de lune, un officier, dont le signalement répondait à celui qu'on avait donné à Hilarion, ouvrit une grille dont il avait la clé, et sans prendre aucune précaution se dirigea vers la maison. Hilarion répugnait à se jeter sur lui par surprise. Il eut la simplicité de l'avertir qu'il allait lui faire du mauvais parti, s'il ne se retirait au plus vite. L'inconnu lui rit au nez, le traita d'imbécile et le menaça de le rouler dans les cloches à melons, s'il faisait la mauvaise tête. Hilarion ne put souffrir ce langage, la lutte s'engagea.

L'impertinence du visiteur l'avait mis en colère, et la vigoureuse défense qu'il faisait ne permettait pas de le ménager. Hilarion le roula dans les artichauts et l'y laissa si malade, qu'il le crut mort. Il courut avertir la dame, qui vint avec un flambeau et sa fille de chambre constater l'évènement.
- Malheureux, qu'avez-vous fait ? s'écria-t-elle ; vous avez assassiné mon mari, qui revenait de voyage ! Sauvez-vous, et que je n'entende jamais parler de vous !
Hilarion restait stupéfait.
- Réclame tes cent francs, lui dit tout bas et précipitamment la soubrette : *elle* savait très bien que c'était monsieur ! elle t'en veut de ne pas l'avoir tué tout à fait.

Laurence

Prendre l'engagement de me remarier, quand je ne suis pas encore veuve, et que je ne connais du mariage que ses plus grands maux... c'est impossible ! Il faut que je respire, que je demande conseil...

Tour

Mémoire

Il y aurait lieu à une étude physiologique, psychologique par conséquent, sur cette faculté précieuse qui nous est donnée à tous de rattacher à certains objets, même involontairement, la vision nette et la sensation intime de certains moments écoulés. Je n'ai jamais vu voler le papillon Thaïs sans revoir le lac Némi ; je n'ai jamais regardé certaines mousses dans mon herbier sans me retrouver sous l'ombre épaisse des yeuses de Frascati. Une petite pierre me fait revoir toute la montagne, d'où je l'ai rapportée, et la revoir avec ses moindres détails du haut en bas. L'odeur du liseron-vrille fait apparaître devant moi un terrible paysage d'Espagne, dont je ne sais ni le nom ni l'emplacement, mais où j'ai passé avec ma mère à l'âge de quatre ans.

Ce phénomène de vision rétrospective ne m'est point particulier, que je sache, mais il me frappe toujours comme une force d'évocation mystérieuse qu'aucun de nous ne saurait expliquer. Qu'est-ce donc que le passé, si nous pouvons le reconstituer avec une précision si entière et ressaisir avec son image les sensations de froid, de chaud, de plaisir, d'effroi ou de surprise que nous y avons subies ? Nous pouvons presque nous vanter d'emporter avec nous un site que nous traversons, où nos pas ne nous ramèneront jamais, mais qui nous plaît et dont nous avons résolu de ne jamais nous dessaisir. Si nous ramassons là une fleur, un caillou, un brin de toison pris au buisson du chemin, cet objet insignifiant aura la magie d'évoquer le tableau qui nous a charmés, une magie plus forte que notre mémoire, car il nous retrace instantanément et à de grandes distances de temps, un monde redevenu vague dans nos souvenirs. L'esprit ne se perd-il pas à chercher la raison de ce petit prodige ? N'est-elle pas dans cette relation à la fois spiritualiste et panthéiste qui fait que nous appartenons à la nature tout autant qu'elle nous appartient ?

Charmettes

Modes

...un petit bracelet en agates, laves, malachites et cornaline, cela n'est d'aucune valeur, mais c'est *très bien porté* aujourd'hui qu'on se couvre les bras de breloques. Je désire que Léontine s'en amuse un jour ou deux, après quoi elle pourra en faire un *abrégé* de chapelet, si la passion des patenôtres s'empare d'elle.

Corr 1843

(la coiffure *à la chinoise*)...c'était bien la plus affreuse coiffure qu'on pût imaginer, et elle a été certainement inventée pour les figures qui n'ont pas de front. On vous rebroussait les cheveux en les peignant à contresens jusqu'à ce qu'ils eussent pris une attitude perpendiculaire, et alors on en tortillait le fouet juste au sommet du crâne, de manière à faire de la tête une boule allongée surmontée d'une petite boule de cheveux. On ressemblait ainsi à une brioche ou à une gourde de pèlerin. Ajoutez à cette laideur le supplice d'avoir les cheveux plantés à contre-poil ; il fallait huit jours d'atroces douleurs et insomnies avant qu'ils eussent pris ce pli forcé, et on les serrait si bien avec un cordon pour les y contraindre, qu'on avait la peau du front tirée et le coin des yeux relevés comme les figures d'un éventail chinois.

Vie

Je vous enverrai par la première occasion deux chapeaux de paille que j'ai reçus d'Italie l'année dernière. Je vous prie de m'en faire arranger un avec des rubans, à la mode mais toujours dans le *style* le plus simple et un peu *sévère* ainsi qu'il convient *à mon rang, à mon âge et à ma dignité personnelle* comme dit mon frère le jobard. Point de rose, surtout, ma chère Tante, car entre nous soit dit, je deviens furieusement pomme cuite.

Corr 1830

Je sais quelle soumission aveugle et respectueuse toute âme bien née doit professer à l'égard des suprêmes décisions de la mode, et se coiffât-on d'un pot de chambre, je le ferais certainement de grand cœur pourvu toutefois qu'il fût propre.

Corr 1830

Si le costume bourgeois de notre époque est le plus triste, le plus incommode et le plus disgracieux que la mode ait jamais inventé, c'est surtout au milieu des champs que tous ses inconvénients et toutes ses laideurs ressortent. [...] Qu'au milieu de ce cadre austère et grandiose qui transporte l'imagination aux temps de la poésie primitive, apparaisse cette mouche parasite, le *monsieur* aux habits noirs, au menton rasé, aux mains gantées, aux jambes maladroites, et ce roi de la société n'est plus qu'un accident ridicule, une tache importune dans le tableau.

Péché

Figurez-vous que le vieux docteur a défendu qu'elle portât un corset ! Pas une baleine sur le corps ! Comment voulez-vous qu'elle ne devienne pas bossue ?

Contes

- Cela doit être agréable, lui dit Valentine en le raillant, une cravate de taffetas ! J'aimerais autant une poignée de ces feuilles de houx.
- Si vous étiez une personne humaine, vous auriez pitié de moi au lieu de me critiquer.

Valentine

D'où vient qu'une femme, quelque supérieure qu'elle soit par son bon sens et sa raison (comme vous et moi, par exemple), tienne à honneur de porter des jupes et des chiffons coupés d'une certaine manière et bigarrés de certaines couleurs ?

Corr 1830

Morale

Il est fort étrange que les lois de l'honneur et de la morale aient pour champions et pour professeurs gourmés des laides envieuses, des femmes dévotes d'un passé équivoque, des hommes débauchés !

Isidora

J'aime mieux vous voir consolée que morte ou malade, mais si vous êtes déjà si décidée à chercher le contre-poison dans un meilleur amour, pourquoi faut-il que les autres s'en aperçoivent ? Mauvais moyen ! Les hommes fuient quand on les appelle...

Corr 1845

Il avait toute l'habileté qu'il faut pour être un scélérat, moins l'envie et la volonté de l'être.

Mattea

Il n'est pas poltron, c'est le seul vice qui lui manque.

Merquem

Je ne crois guère à la véritable douleur de ceux qui ne cherchent pas à se distraire, ni à l'absolu dévouement de ceux qui n'ont jamais besoin de se reposer.

Consuelo

Il suffit de tromper ton mari, il ne faut pas le calomnier.

Jacques

Savez-vous ce qu'en province on appelle un *honnête homme* ? C'est celui qui n'empiète pas sur le champ de son voisin, qui n'exige pas de ses débiteurs un sou de plus qu'ils ne lui doivent, qui ôte son chapeau à tout individu qui le salue ; c'est celui qui ne viole pas les filles sur la voie publique, qui ne met le feu à la grange de personne, qui ne détrousse pas les passants au coin de son parc. Pourvu qu'il respecte religieusement la vie et la bourse de ses concitoyens, on ne lui demande pas compte d'autre chose. Il peut battre sa femme, maltraiter ses gens, ruiner ses enfants, cela ne regarde personne. La société ne condamne que les actes qui lui sont nuisibles ; la vie privée n'est pas de son ressort.

Indiana

Je suis trop vieux pour aller à l'école, et je ne suis pas venu ici tout en sueur pour entendre de la morale froide comme du verglas.

Péché

Les grands cœurs aiment le sacrifice, cela est bien heureux pour les cœurs étroits.

Contes

...les mœurs agissant sur les lois, vous en viendrez à supprimer la plus odieuse et la plus impie de toutes, la loi du talion, la peine de mort, qui n'est autre chose que la consécration du principe de la fatalité, puisqu'elle suppose le coupable incorrigible et le ciel implacable.

Mauprat

Mort

Un jour, on le trouva immobile, assis sur un banc au soleil, son arrosoir à demi-plein à côté de lui, et sur ses genoux un manuscrit indéchiffrable, dernière élucubration de son cerveau épuisé. Il était mort sans y prendre garde.

Antonia

(*A Flaubert*) L'idéal serait de vivre à longue année avec un bon et grand cœur comme toi. Mais alors on ne voudrait plus mourir, et quand on est *vieux* de fait, comme moi, il faut bien se tenir prêt à tout.

Corr 1867

...je ne me crois pas destinée à faire de bien vieux os : faut se dépêcher d'aimer !

Corr 1867

Je suis sûre que les morts sont bien, qu'ils se reposent peut-être avant de revivre, et que dans tous les cas, ils retombent dans le creuset pour en ressortir avec ce qu'ils ont eu de bon, et du progrès en plus.

Corr 1870

Musique

La musique est une herbe sauvage qui ne pousse pas dans vos terres.

Maîtres

Alors Consuelo demanda en riant ce qui restait au fond de la bourse. Joseph prit son violon, le secoua auprès de son oreille, et répondit :
- Rien que du son !
Consuelo essaya sa voix en pleine campagne, par une brillante roulade, et s'écria :
- Il reste beaucoup de son !

Consuelo

La musique les enlevait, mais je crois bien que leurs pieds ne se sentaient point toucher la terre, et que leurs esprits dansaient dans le paradis.

Maîtres

Oui, oui ! fit-il en se promenant dans la chambre à grandes enjambées et en élevant sa flûte au-dessus de sa tête ; ça parle, ce méchant bout de roseau ; ça dit ce qu'on pense ; ça montre comme avec les yeux ; ça raconte comme avec les mots, ça aime comme avec le cœur ; ça vit, ça existe !

Maîtres

Votre voix va bientôt muer si elle n'a commencé déjà [...] Eh bien, avant qu'il soit un an, vous chanterez comme une petite grenouille, et il n'est pas sûr que vous redeveniez un rossignol.

Consuelo

Nature

J'aime mieux une ortie en mon pays qu'un chêne en pays d'étrangers.

Maîtres

Que m'importait de savoir le nom scientifique de toutes ces jolies herbes des prés, auxquelles les paysans et les pâtres ont donné des noms souvent plus poétiques et toujours plus significatifs : le thym de bergère, la bourse à berger, la patience, le pied de chat, le baume, la nappe, la mignonnette, la boursette, la repousse, le danse-toujours, la pâquerette, l'herbe aux grelots, etc.

Vie

...un très joli scarabée appelé par les entomologistes *criocère du lis*. Il est d'un beau rouge luisant, avec une face effilée et fort spirituelle. Les personnes qui l'ont examiné au microscope lui ont reconnu plusieurs protubérances avantageuses et un regard plein d'affabilité.

Secrétaire

Une brise tiède s'était levée toute chargée de l'odeur de vanille qui s'exhale des champs de fèves en fleur.

Valentine

Je vous interrogerai sur les amours des plantes, sur le sommeil des feuilles, sur l'écume que la lune répand à minuit dans les herbes, sur les bruits qu'on entend la nuit... Avez-vous remarqué cette grande voix aigre qui crie incessamment autour de l'horizon, et qui est si égale, si continue, si monotone, qu'on la prend souvent pour le silence ?

Aldo

La rivière coulait bien tranquillement, frétillant sur les branches qui pendaient et trempaient le long des rives, et s'en allant dans les terres, avec un petit bruit, comme quelqu'un qui rit et se moque à la sourdine.

Fadette

C'est à nous, rêveurs inoffensifs, que les eaux de la montagne appartiennent.

Voyageur

Ceux qui croient la nature morte et le temps triste en hiver ne savent pas qu'à la campagne tout est beau, que les blés sont verts, et les lilas en bourgeons dans ce moment-ci, enfin que l'hiver est une fiction, excepté à Paris.

Corr 1853

Nuits

...durant l'hiver, où les nuits sont si froides qu'on pourrait difficilement causer d'amour en pleins champs...

Fadette

Un quart d'heure plus tard, nous nous retrouvions au salon, lui habillé en femme, moi en gamin, gros pantalon de drap, gros souliers ferrés, blouse de roulier sur un gros gilet de laine tricotée, les cheveux cachés par un bonnet de coton bleu à haute mèche rouge, le masque attaché à la boutonnière.
- Si nous faisons du bruit, dis-je à mon frère, nous n'irons pas loin. *Le baron* ne voudra pas que tu m'emmènes.
- Il n'en saura rien, et, d'abord, nous allons sortir par la fenêtre. Je t'aiderai à sauter.
- Ce ne sera pas la première fois.
Nous voilà sur la route. Un froid de loup. La gelée craque sous nos pieds. Mais la nuit est claire et les étoiles sont gaies.

Nuit d'hiver

Ces départs sont charmants par une belle nuit d'été à la campagne. On se dit adieu, on cause à la portière ou le pied à l'étrier, comme si chacun entreprenait un long voyage. Les chevaux s'impatientent, les chiens aboient, les coqs chantent et prennent la lumière des flambeaux pour celle de l'aurore. On franchit la grille en se jetant des rires et des paroles sans suite, et puis on se disperse dans l'ombre, et chaque équipage fuit en emportant ses deux étoiles, qui semblent s'éteindre et se rallumer en traversant les buissons noirs.

Merquem

Paysans

Je suis paysan au physique et au moral.

Corr 1867

Mes racines - on n'extirpe pas cela en soi et je m'étonne que tu m'invites à en faire sortir des tulipes, quand elles ne peuvent répondre que par des pommes de terre.

Corr 1871

M. Antoine et le paysan faisaient durer leurs petits fromages et leurs grandes pintes de vin avec cette majestueuse lenteur qui est presque un art chez le Berrichon.

Péché

Tandis que le paysan est toujours maigre, bien proportionné et d'un teint basané qui a sa beauté, le bourgeois de campagne est toujours, dès l'âge de quarante ans, affligé d'un gros ventre, d'une démarche pesante et d'un coloris vineux qui vulgarisent et enlaidissent les plus belles organisations.

Meunier

Le vieillard marchait pieds nus dans la rosée. Il est vrai que ses pieds, ayant oublié depuis longtemps l'usage des chaussures, étaient arrivés à un degré de callosité qui les mettait à l'abri de tout.

Mauprat

Elle s'était laissé marier, à seize ans, à ce rougeot qui n'était pas tendre, qui buvait beaucoup le dimanche, qui était en colère tout le lundi, chagrin le mardi, et qui les jours suivants, travaillant comme un cheval pour réparer le temps perdu, car il était avare, n'avait pas le loisir de songer à sa femme. Il était moins malgracieux le samedi, parce qu'il avait fait sa besogne et pensait à se divertir le lendemain.

Champi

M. et Mme Lhéry, à la fois paternels et despotiques, donnaient le dimanche, d'excellents vins à leurs laboureurs ; dans la semaine, ils leur reprochaient le filet de vinaigre qu'ils mettaient dans leur eau.

Valentine

On a vu quelquefois beaucoup de sens et de finesse se loger, comme par mégarde dans ces grosses têtes, dont les yeux ternes et béants ne ressemblent pas mal aux fenêtres peintes que l'on simule sur les murs des maisons mal percées.

Tour

Autant le vieux paysan est obséquieux et disposé à saluer tout ce qui est mieux habillé que lui, autant celui qui date d'après la Révolution est remarquable par l'adhérence de son couvre-chef à sa chevelure.

Meunier

La réponse ordinaire du paysan, quand on lui demande n'importe quel chemin, c'est de vous dire : *Marchez tout droit, toujours tout droit.* C'est tout simplement une facétie, une espèce de calembour qui signifie qu'on doit marcher sur ses jambes, car il n'y a pas un seul chemin tout droit dans la Vallée-Noire.

Meunier

Il était capable de chanter des chansons obscènes au cabaret et de rire des choses saintes le verre à la main, mais il n'aurait pas osé entrer dans l'église de son village le chapeau sur la tête.

André

Peuple et nobles

Moi, j'ai mes racines maternelles directes dans le peuple et je les sens toujours vivantes au fond de mon être.

Corr 1871

- M. le comte a beau faire, il ne me fera pas croire qu'il aime le peuple [...] Il sortira bien un louis d'or de sa poche pour qu'un pauvre diable boive à sa santé ; mais essayons de boire à la république, on verra comme il nous payera les violons !

Tour

Qu'est-ce que c'est que des gens qui disent : si j'étais riche, je serais méchant, et je suis enchanté de ne pas l'être ? C'est l'histoire de ma grand-mère qui disait : je n'aime pas l'anguille, et j'en suis bien contente, parce que si je l'aimais, j'en mangerais. Voyons, pourquoi ne seriez-vous pas riche et généreux ?

Meunier

André a bien l'air d'un noble ; il ne rit que du bout des dents et ne danse que du bout des pieds.

André

Il n'y avait dans ce salon que quatre ou cinq figures ostrogothiques, jouant gravement au reversi, et deux ou trois fils de famille, aussi nuls qu'il est permis de l'être quand on a seize quartiers de noblesse.

Indiana

- Valentine, dis donc bonjour à Bénédict ; c'est le neveu du bon Lhéry, c'est le prétendu de ta petite camarade Athénaïs. Parle lui, ma fille.
Cette interpellation pouvait se traduire ainsi : "Imite-moi, héritière de mon nom ; sois populaire, afin de sauver ta tête à travers les révolutions à venir, comme j'ai su le faire dans les révolutions passées."

Valentine

- ...je n'ai point réclamé votre obligeance gratuite : je vous ai offert...
- Suffit ! suffit ! vous êtes riche et je suis pauvre ; mais je ne tends pas encore la main, et j'ai des raisons pour ne pas me faire le serviteur du premier venu... Encore, si je savais qui vous êtes...

Péché

[1848] A cette époque, on vit pendant un moment, fort court à la vérité, mais fort intéressant, une apparence d'entente cordiale extraordinaire entre le peuple, la bourgeoisie et même la noblesse. Feinte ou sincère, cette entente sembla devoir modifier essentiellement les mœurs. Les cœurs généreux et romanesques purent y croire ; pour tous ceux qui ne se jetèrent pas dans les luttes de parti et dans les questions de personnes, il y eut comme une ère nouvelle dans les relations, et les philosophes calmes et observateurs de la trempe de M. Butler et de sa fille durent en faire un sujet d'études et y prendre un intérêt de curiosité. Chez ceux-là, il y avait une réelle bienveillance et le désir beaucoup plus que la crainte de l'égalité. On faisait, pour ainsi dire, connaissance avec le peuple affranchi, car c'était un peuple nouveau, et qui ne se connaissait pas encore lui-même. Le peuple aussi interrogeait naïvement ses maîtres de la veille ; on cherchait à se pénétrer mutuellement avec un reste de méfiance mêlé à un besoin d'abandon. Tel était du moins l'état de nos provinces à cette époque pour les personnes de bonne foi et de bonne volonté. Je ne parle pas des autres.

Roche

Nous l'aurons, va, la République, en dépit de tout. Le peuple est debout et diablement beau ici.

Corr 1848

Philosophie

...ceux qui ont cru m'humilier et me blesser en proclamant que je n'étais pas de taille à faire un philosophe m'ont fait beaucoup de plaisir.

Impressions

Je sais qu'aujourd'hui on donne le titre de philosophes aux hommes les moins voués à la pratique de la force et de la vertu. Il suffit qu'on ait étudié ou professé la science des sages, ou seulement qu'on ait rêvé quelque système de législation fantastique, pour être gratifié du titre que portèrent Aristote et Socrate.

Marcie

Une grande question serait celle de savoir si la Providence a plus d'amour et de respect pour notre charpente osseuse que pour les pétales embaumés de ses jasmins.

Voyageur

Que nous soyons ou non les fils du singe, ce qui m'est absolument indifférent, vu que nous resterions les petits-fils de celui qui a créé le singe, nous ne saurions nous associer à sa manière, courir en troupes, pour gambader, dévaster, grimacer, aimer au hasard, agir sans conscience.

Impressions

Si tous les mots sont vides, du moins ceux de patrie et de liberté sont harmonieux, tandis que ceux de légitimité et d'obéissance sont grossiers, malsonnants et faits pour des oreilles de gendarmes.

Voyageur

La liberté est comme le bon vin, on n'attend pas pour en boire que la soif soit venue.

Gabriel

L'homme veut tout définir, tout classer, tout nommer, voilà pourquoi il lui plaît d'avoir des messies et des évangiles, mais ces personnifications et ces dogmes lui ont toujours fait pour le moins autant de mal que de bien. Il serait temps d'avoir des lumières qui ne fussent pas des torches d'incendie.

Corr 1868

Quand la jeunesse ne peut manifester ce qu'elle a de grand et courageux dans le cœur que par des attentats à la société, il faut que la société soit bien mauvaise !

Horace

Premières phrases

C'était au mois d'avril 1785, et c'était à Paris, où, cette année-là, le printemps était un vrai printemps.

Antonia

Qui es-tu ? et pourquoi ton amour fait-il tant de mal ?

Lélia

La marquise de M. n'était pas fort spirituelle, quoiqu'il soit reçu en littérature que toutes les vieilles femmes doivent pétiller d'esprit.

Marquise

Il y a trois ans, il arriva à Saint-Front, petite ville fort laide qui est située dans nos environs et que je ne vous engage pas à chercher sur la carte [...] une aventure qui fit beaucoup jaser, quoiqu'elle n'eût rien de bien intéressant par elle-même, mais dont les suites furent fort graves, quoiqu'on n'en ait rien su.

Pauline

J'étais en tournée d'inspection des finances dans la petite ville d'Arvers en Auvergne, et j'étais logé depuis deux jours à l'hôtel du *Grand Monarque*. Quel grand monarque ? et pourquoi cette enseigne classique, si répandue encore dans les villes arriérées ?

Laurence

Pourquoi es-tu triste, mon camarade ? De quoi es-tu mécontent ?

Ville

Je peux dire sans hyperbole que j'ai été élevé dans un rocher.

Roche

Il y a peu de gîtes aussi maussades en France que la ville d'Eguzon, située aux confins de la Marche et du Berry.

Péché

Province

...des bourgeois qui se préparaient trois ans d'avance pour aller passer, une fois dans leur vie, tout un mois à Paris. Ils faisaient leur testament.

Villemer

En province peut-on se réunir dix personnes dont quelques-unes ne soient à couteau tiré ? Dans la chaleur de la digestion, on est prêt à se faire voler les assiettes à la tête. Ceux qu'on oublie, ou qu'on ne peut pas admettre au festin, vous gardent rancune pendant vingt ans.

Corr 1843

On sait qu'en province le *lapsus linguæ* est l'écueil des orateurs, et qu'il leur importe peu de manquer absolument d'idées, pourvu que les mots abondent toujours et se succèdent sans hésitation.

André

Le nom de la Roche est très répandu dans toutes les provinces de la France, et, en le donnant au personnage dont je vais raconter les aventures, j'avertis d'avance les lecteurs naïfs qu'il ne faut les attribuer à aucun des habitants de la localité où je place la scène et que je compte fidèlement décrire.
Cette précaution oratoire semblera puérile aux personnes de bon sens, qui savent qu'un roman est toujours

enveloppé d'une fiction, sous peine de n'être plus un roman. Elle est pourtant nécessaire, cette précaution, envers bon nombre de provinciaux, lecteurs trop excellents, qui prennent tout au sérieux, et qui n'admettent pas l'invention dans les ouvrages d'art. Avec ceux-là, il faut s'attendre à d'étranges méprises. On ne saurait décrire leur clocher, même sous un nom fictif, ou tomber à son propre insu et par hasard, sur le nom de leur clocher en décrivant un clocher quelconque, sans mettre en émoi une notable portion des paroissiens.

Roche

La femme de Paris et la femme artiste surtout, donne aux moindres atours un prestige éblouissant pour la province. Toutes les dames des maisons voisines se collèrent à leurs croisées, les entr'ouvrirent même, et s'enrhumèrent toutes plus ou moins, dans l'espérance de découvrir ce qui se passait chez la voisine.

Pauline

Querelles

Mais quoi, monsieur ? dit la jeune dame, tout émue, à l'Espagnol triomphant, vous croyez-vous ici au cœur de la forêt, et pensez-vous m'être agréable en me présentant la tête ou les pattes d'un animal que j'ai nourri de mes mains et caressé encore tout à l'heure devant vous ? Fi ! vous n'avez point de civilité, et avec ce couperet tout sanglant, vous avez l'air d'un boucher plus que d'un gentilhomme !

Bois-Doré

- Comment, Monsieur, je travaillerai donc chez vous tous les jours, tous les jours de l'année sans désemparer ?
- Excepté le dimanche.
- Oh ! le dimanche, je le crois bien ! Mais je n'aurai pas un ou deux jours par semaine que je pourrai passer à ma fantaisie ?
- Jean, tu es devenu paresseux ; je le vois. Voilà déjà les fruits du vagabondage.
- Taisez-vous ! dit fièrement le charpentier ; paresseux vous-même !

Péché

Regards

Autrefois, j'avais un plaisir extrême à le voir étendu sur un tapis et fumant des parfums ; il est vraiment très beau dans cette attitude nonchalante et avec une robe de chambre de soie à fleurs qui lui donne l'air tout à fait sultan. Mais c'est un coup d'œil dont je commence à me lasser à force d'en jouir.

Jacques

Salvator avait réussi à garder son sang-froid, jusqu'à ce qu'une grande brune, passant à cheval, non loin de la calèche, jambe de ça, jambe de là, lui montra avec un peu trop de confiance son muscle rebondi surmonté d'une jarretière élégante [...]
- ...Que regardes-tu ?
- Rien, rien, répliqua Salvator, qui n'avait pu s'empêcher de soulever son bonnet de voyage pour saluer cette jambe. Dans ce pays de courtoisie, il faudrait toujours avoir la tête nue.

Floriani

Il remplit d'eau à diverses reprises [*une grande coquille*] et s'en arrosa la tête et la barbe, lavant et frottant avec un soin extrême et une volupté minutieuse cette riche toison noire qui, toute ruisselante, le faisait ressembler à une sauvage divinité des fleuves [...] Enfin, comme s'il eût deviné l'admiration réelle qu'il causait à Léonce, il se fit une sorte de vêtement avec une ceinture de roseaux et de feuilles aquatiques ; et alors libre, fier et beau comme le premier homme, il s'étendit sur un coin de sable fin et parut rêver ou s'endormir au soleil.

Teverino

C'était quelque chose de beau à contempler que ce fier jeune homme aux formes athlétiques, à la noire chevelure, à l'œil de flamme, couché du matin à la nuit sur le divan de mon balcon, fumant une énorme pipe (dont il fallait tous les jours renouveler la cheminée, parce qu'en la secouant sur les barreaux du balcon, il ne manquait jamais de laisser tomber la capsule dans la rue), et feuilletant un roman de Balzac ou un volume de Lamartine, sans daigner lire un chapitre ou un morceau entier.

Horace

Roman

Je t'envoie ce roman comme un son lointain de nos cornemuses, pour te rappeler que les feuilles poussent, que les rossignols sont arrivés, et que la grande fête printanière de la nature va commencer aux champs.

Maîtres

Une Anglaise qui se donnait pour très amateur de mes romans me dit une fois, en me regardant avec de grands yeux de chouette : "A quoi vous pensez quand vous faites une roman ? - Dame ! lui répondis-je, je tâche de penser à mon roman. - Oh ! vous ne pouvez donc pas toujours penser en écrivant ? Il doit être bien pénible !"

Vie

C'est bien assez de tuer le personnage principal, sans être forcé de récompenser, de punir ou de sacrifier un à un tous les autres.

Floriani

J'adore les histoires dont je ne comprends pas le titre.

Laura

Il n'y a rien de plus impérieux et de plus pressé qu'un lecteur de romans, mais je ne m'en soucie guère. J'ai à vous révéler un homme tout entier, c'est à dire un monde, un océan sans bornes de contradictions, de diversités, de misères et de grandeurs, de logique et d'inconséquences, et vous voulez qu'un petit chapitre me suffise ! Oh ! non pas, je ne saurais m'en tirer sans entrer dans quelques détails, et je prendrai mon temps. Si cela vous fatigue, passez, et si plus tard, vous ne comprenez rien à sa conduite, ce sera votre faute et non la mienne.

Floriani

Est-il nécessaire, avant de parler à l'imagination du lecteur, par un ouvrage d'imagination, de lui dire que certain type exceptionnel n'est pas un modèle qu'on lui propose ?

Teverino

Sports... et voyages

[*Mon frère*] fouetta vigoureusement Colette, qui débuta par un galop frénétique, accompagné de gambades et de ruades les plus folles mais les moins méchantes du monde. "Tiens-toi bien, disait mon frère. Accroche-toi aux crins si tu veux, mais ne lâche pas la bride et ne tombe pas. Tout est là, tomber ou ne pas tomber !" C'était le *to be or not to be* d'Hamlet.

Vie

Je pars à trois heures du matin, avec le ferme propos de rentrer à huit. Mais je me perds dans les traînes, je m'oublie au bord des ruisseaux, je cours après les insectes et je rentre à midi dans un état de torréfaction impossible à décrire. L'autre jour, j'étais si accablée que j'entrai dans la rivière tout habillée.

Corr 1836

...en attendant je suis encore ici, fourrée jusqu'au menton dans la rivière, tous les jours, et reprenant mes forces tout à fait dans ce ruisseau froid et ombragé que j'adore, et où j'ai passé tant d'heures de ma vie à me refaire après les trop longues séances en tête à tête avec l'encrier.

Corr 1867

J'entrepris l'escalade. Je passais sans frayeur sur le taillant d'un marbre glissant, au-dessous duquel était une profonde excavation. [...] Je riais, mais j'avoue que j'avais peur. Mon mari m'attacha deux ou trois foulards autour du corps et me soutins ainsi pendant que les autres me tiraient par les mains. Je ne sais ce que devinrent mes jambes pendant ce temps-là. Quand je fus en haut, je m'assurai que mes mains (dont je souffre encore) n'étaient pas restées dans les leurs et je fus payée de mes efforts par l'admiration que j'éprouvai.

Vie

Mes compagnons de voyage sont charmants et me soignent comme une vieille poule.

Corr 1867

Je m'en vas voir des neiges, des torrents, des ours, s'il plaît à Dieu. Il y en avait un l'autre jour à une lieu d'ici, à cent pas du chemin. Il nous regardait passer d'un air bien méprisant.

Histoire

J'ai 350 lieues dans le postérieur et une quarantaine dans les jambes, car j'ai traversé la Suisse à pied, plus un coup de soleil sur le nez et le teint couleur de brique. Ce qui fait que je suis charmante et qu'il est bien heureux pour toi que nous ne soyons qu'amis ; car je défie bien tout animal appartenant à notre espèce de ne point reculer d'horreur en me voyant.

Corr 1834

...un de ces mauvais lits des auberges allemandes, où il faut choisir tant ils sont exigus, de faire dépasser la tête ou les pieds.

Consuelo

J'ai la passion du vertige, des hauteurs et des précipices. Il me semble qu'un quart d'heure passé à huit ou neuf cents mètres au-dessus du sol, me guérit de tout, au moral et au physique. Et puis, je me dis que dans trois ans j'aurai la soixantaine et que mes pattes ne me porteront pas toujours dans les nuages. Il faut donc que je m'en donne encore un peu !

Corr 1862

Suspense

Nous chassions donc les alouettes au lacet, lorsque mon page ensabotté, qui furetait toujours à l'avant-garde, revint vers moi en disant textuellement : "*J'avise eul meneu' d 'loups anc eul preneu' d'taupes.*"
Cet avertissement fit passer un frisson dans tous mes membres.

Mauprat

Pourquoi ce jeune homme voyageait-il à pied ? c'est qu'apparemment il n'avait pas le moyen d'aller en voiture. D'où venait-il ? c'est ce que nous vous dirons en temps et lieu. Où allait-il ? Il ne le savait pas lui-même. On peut résumer cependant son passé et son avenir en peu de mots : il venait du triste pays de la réalité, et il tâchait de s'élancer à tout hasard vers le joyeux pays des chimères.

Secrétaire

On l'appelait *ami, camarade, vieux, toi*, et il semblait que son nom fut un secret qu'on ne voulut pas trahir. Quel était donc cet homme qui avait l'extérieur et le langage d'un paysan, et qui, cependant, portait si loin ses sombres prévisions et si haut sa terrible critique ?

Péché

De tout temps, il s'est passé au château des Désertes des choses que le pauvre monde comme moi ne peut pas comprendre...

Désertes

C'est alors que le gémissement frappa de nouveau ses oreilles, mais si nettement et à tant de reprises différentes qu'elle ne put l'attribuer davantage à une illusion de ses sens ; le bruit partait sans aucun doute du double fond de la voiture.

Consuelo

...la lumière lui paraissait avoir changé de place, et mêmement il la vit remuer, courir, sautiller, repasser d'une rive à l'autre, et finalement se montrer double en se mirant dans l'eau, où elle se tenait comme un oiseau qui se balance sur ses ailes, et en faisant entendre un petit bruit de grésillement comme ferait une pétrole de résine.
Cette fois, Landry eut peur et faillit perdre la tête...

Fadette

Alors il se leva, monta sur son banc et présenta son verre vide au premier rayon du soleil qui passait au-dessus de sa tête, en disant d'un air qui nous fit trembler tous sans qu'on sût ni pourquoi ni comment :
- Amis, voilà le flambeau du bon Dieu ! Eteignez vos petites chandelles et saluez ce qu'il y a a de plus clair et de plus beau dans le monde !

Maîtres

Consuelo, ardente et courageuse dans ces sortes d'aventures, tira de son gousset un couteau à lame forte et bien coupante, dont elle s'était munie en partant, peut-être par une inspiration de la pudeur, et avec l'appréhension vague de dangers auxquels le suicide peut toujours soustraire une femme énergique.

Consuelo

- Rassurez-vous, monsieur, lui dit Indiana ; l'homme que vous avez tué se portera bien dans quelques jours ; du moins nous l'espérons, quoique la parole ne lui soit pas encore revenue.

Indiana

- Des brigands ? s'écria Lucinde, j'ai toujours désiré d'en voir. Il y en a donc par ici ?
- Il n'y a que de ça, mademoiselle, et vous en voyez là autour de vous.
- Allons donc ! ces beaux hommes-là ?

Laurence

Théâtre

J'avoue que ce sont les spectacles les plus naïfs, les mimodrames, les féeries, qui me divertissent si fort. Il m'arrive encore quelquefois, lorsque j'ai passé un an loin de Paris, de dîner à la hâte avec mes enfants et mes amis, et d'avoir un certain battement de cœur au lever du rideau. Je laisse à peine aux autres le temps de manger, je m'impatiente contre le fiacre qui va trop lentement, je ne veux rien perdre, je veux comprendre la pièce, quelque stupide qu'elle soit. Je ne veux pas qu'on me parle, tant je veux écouter et regarder.

Vie

Le théâtre est l'œuvre collective par excellence. Celui qui a froid y gèle son voisin, et la contagion se communique avec une désespérante promptitude à tous les autres.

Désertes

Quelle nécessité y a-t-il à ce qu'une pièce en un acte soit gaie? Elles le sont presque toutes, me direz-vous, raison de plus pour en essayer une qui ne le soit pas.

Corr 1854

...nous-même, qui avons eu au théâtre de grands succès, et aussi des succès d'estime, c'est à dire des insuccès...

Mon théâtre

C'est quelque chose de fuyant comme un songe, de confus comme une émeute, où tout ce qui est faux s'attelle à la représentation du vrai, où la pourpre du couchant et l'azur des nuits sont de la lumière électrique, où les arbres sont de la toile peinte, la brume un rideau de gaze, les rochers et les colonnades de la détrempe.

Laurence

Pouvoir enfin dire au public : viens à l'école, mon petit ami. Si le beau t'ennuie, va te coucher [...] nous jouerons encore mieux devant cinquante personnes de goût que devant mille étourneaux sans jugement.

Laurence

Durant plusieurs hivers consécutifs, étant retirée à la campagne avec mes enfants et quelques amis de leur âge, nous avions imaginé de jouer la comédie sur scénario et sans spectateurs, non pour nous instruire en quoi que ce soit, mais pour nous amuser [...] Une sorte de mystère que nous ne cherchions pas, mais qui résultait naturellement de ce petit vacarme prolongé assez avant dans les nuits, au milieu d'une campagne déserte, lorsque la neige ou le brouillard nous enveloppaient au dehors, et que nos serviteurs même, n'aidant ni à nos changements de décor, ni à nos soupers, quittaient de bonne heure la maison où nous restions seuls ; le tonnerre, les coups de pistolet, les roulements du tambour, les cris du drame et la musique du ballet, tout cela avait quelque chose de fantastique, et les rares passants qui en saisirent de loin quelque chose n'hésitèrent pas à nous croire fous ou ensorcelés.

Désertes

Les acteurs sont des enfants impressionnables, des observateurs délicats, des instruments très sensibles qu'un souffle met en vibration. Superbes et cruels dans le dénigrement, ils sont toujours prêts à l'enthousiasme, et il arrive souvent que deux ennemis irréconciliables s'applaudissent l'un l'autre avec transport sous le coup d'une admiration sincère. Ils ont la liberté de jugement des virtuoses irresponsables.

Laurence

- Tenez, prenez la chaise ainsi, et faites cela !
Il la prit, la plaça au milieu de la chambre et s'assit dessus. Je m'imaginai que c'était la chose la plus facile du monde et qu'il se moquait de moi, pourtant, lorsque je voulus faire le même chose :
- Ce n'est pas disgracieux, me dit-il, mais c'est très gauche. Il faudrait faire comme cela dans le rôle d'un jeune timide qui s'assied dans un salon pour la première fois de sa vie. Vous avez posé la chaise de façon à vous asseoir à côté et à faire une chute des plus ridicules ; aussi avez-vous eu le soin de regarder derrière vous avant de vous asseoir, ce qui est une maladresse insigne, et puis vous vous êtes laissé tomber dessus avec brusquerie, comme si vous étiez en colère ou écrasé de fatigue. Il ne faut pas qu'on sente le mouvement de l'acteur en scène. Il doit se trouver assis comme s'il n'avait pas de corps, car c'est toujours une chose très vulgaire que de s'asseoir. Le meuble lui-même destiné à cet usage est une chose risible, quand on y songe ! Il faut que l'acteur fasse oublier et l'emploi du meuble et l'action de s'en servir, par un escamotage ingénieux.

Laurence

Une actrice qui se trouve mal en scène n'est pas un événement auquel tout public compatisse comme il le devrait ; en général, quelque adorée que soit l'idole, il entre tant d'égoïsme dans les jouissances du *dilettante*, qu'il est beaucoup plus contrarié d'en perdre une partie par l'interruption du spectacle, qu'il n'est affecté des souffrances et de l'angoisse de la victime.

Consuelo

Alice, se sentant sous le regard méchant de son cousin, ne fit pas comme les héroïnes de théâtre, qui ont pour le public des *a parte*, des exclamations et des tressaillements si confidentiels, que tous les personnages de la pièce sont fort complaisants de n'y prendre pas garde.

Isidora

Va, tous les comédiens ne sont pas au théâtre ; c'est un vieux proverbe.

Consuelo

Utopie

J'espère bien que vous n'êtes pas guéri de cette sainte folie que les poules mouillées du siècle appellent *utopie*. Quant à moi, grâce à Dieu, je ne me modère point à ces endroits-là et compte bien ne jamais me modérer.

Corr 1840

Je vous avoue qu'il m'est impossible d'être inquiet pour l'avenir du monde. En vain l'orage passera sur les générations qui naissent ou vont naître ; en vain l'erreur et le mensonge travailleront pour perpétuer le désordre affreux que certains esprits appellent l'ordre social ; en vain l'iniquité combattra dans le monde : la vérité éternelle aura son jour ici-bas. Et si mon ombre peut revenir, dans quelques siècles, visiter ce vaste héritage et se glisser sous les arbres antiques que ma main a plantés, elle y verra des hommes libres, heureux, égaux, unis, c'est à dire justes et sages !

Péché

Alors fleurira la grande association universelle, l'enfant jouera avec le tigre comme le jeune Bacchus, l'éléphant sera l'ami de l'homme, les oiseaux de haut vol conduiront dans les airs nos chars ovoïdes, la baleine transportera nos messages. Que sais-je ! tout devient possible sur notre planète dès que nous supprimons le carnage et la guerre. [...] Rêvez, imaginez, faites du merveilleux, vous ne risquez pas d'aller trop loin, car l'avenir du monde idéal auquel nous devons croire dépassera encore de beaucoup les aspirations de nos âmes timides et incomplètes.

Contes

Vertus

- Faites-vous entrer la tempérance et la chasteté dans le compte de ces vertus chrétiennes.
- Pourquoi non, je vous prie ?
- Parce que cette gouvernante à l'ardente crinière, que nous avons vue à la porte de son domaine, m'a semblé un peu bien verte pour un homme aussi mûr.

Bois-Doré

Si beaucoup de vieilles de 80 ans se mettaient à vous raconter franchement leur vie, peut-être découvririez-vous dans l'âme féminine des sources de vice et de vertu dont vous n'avez pas l'idée ?

Marquise

Vieillir

Le chiffre des années n'y fait rien : il y a des gens qui vivent beaucoup à la fois et dont tous les ans comptent double.

Impressions

- ...Quand même l'homme ne serait pas de la première jeunesse, tu ne ferais pas trop la difficile ?
- Ah ! pardonnez-moi, Germain. C'est justement la chose à laquelle je tiendrais. Je n'aimerais pas un vieux !
- Un vieux, sans doute ; mais par exemple, un homme de mon âge ?
- Votre âge est vieux pour moi, Germain ; j'aimerais l'âge de Bastien, quoique Bastien ne soit pas si joli homme que vous.
- Tu aimerais mieux Bastien le porcher ? dit Germain avec humeur. Un garçon qui a les yeux faits comme les bêtes qu'il mène ?
- Je passerais par-dessus ses yeux, à cause de ses dix-huit ans.

Mare

...ces ex-beautés qui se réfugient dans la grâce, dans l'esprit, dans l'aménité caressante. Je connais ici une marquise de soixante ans dont l'éternel sourire et la banale bienveillance me font l'effet d'une prostitution de l'âme.

Isidora

Mes 66 ans ne sont pas plus mal que mes 65.

Corr 1870

Madame de Ferrières avait encore de *beaux restes*, et n'était point fâchée de les montrer. Elle avait toujours les bras nus dans son manchon dès le matin, quelque temps qu'il fît. C'étaient des bras fort blancs et très gras, que je regardais avec étonnement, car je ne comprenais rien à cette coquetterie surannée. Mais ces beaux bras de soixante ans étaient si flasques qu'ils devenaient tout plats quand ils se posaient sur la table, et cela me causait une sorte de dégoût. Je n'ai jamais compris ces besoins de nudité chez les vieilles femmes, surtout chez celles dont la vie a été sage.

Vie

Tu vas entrer peu à peu dans l'âge le plus heureux et le plus favorable de la vie : la vieillesse. C'est là que l'art se révèle dans sa douceur ; tant qu'on est jeune, il se manifeste avec angoisse.

Corr 1876

Les sens s'éteignent d'un côté, le cerveau de l'autre ; mais le cœur est-il donc condamné à mourir avec eux ? Oh non !

Isidora

…Et le dernier mot de George Sand

Laissez verdure…

ORIGINE DES CITATIONS

Aldo	ALDO LE RIMEUR
André	ANDRE
Antonia	ANTONIA
Auvergne	VOYAGE EN AUVERGNE
Bois-Doré	LES BEAUX MESSIEURS DE BOIS-DORE
Champi	FRANÇOIS LE CHAMPI
Charmettes	LES CHARMETTES
Consuelo	CONSUELO
Contes	CONTES D'UNE GRAND-MERE
Corr	CORRESPONDANCE
Désertes	LE CHATEAU DES DESERTES
Fadette	LA PETITE FADETTE
Floriani	LUCREZIA FLORIANI
Francia	FRANCIA
Gabriel	GABRIEL
Horace	HORACE
Impressions	IMPRESSIONS ET SOUVENIRS
Indiana	INDIANA
Isidora	ISIDORA
Jacques	JACQUES
Laura	LAURA
Laurence	LE BEAU LAURENCE
Lélia	LELIA
Leone	LEONE LEONI
Maîtres	LES MAITRES SONNEURS
Marcie	LETTRES A MARCIE
Marquise	LA MARQUISE
Mare	LA MARE AU DIABLE
Mattea	MATTEA
Mauprat	MAUPRAT
Metella	METELLA
Merquem	MADEMOISELLE MERQUEM

Meunier	LE MEUNIER D'ANGIBAULT
Nuit d'hiver	NUIT D'HIVER
Pauline	PAULINE
Péché	LE PECHE DE MONSIEUR ANTOINE
Questions	QUESTIONS D'ART ET DE LITTERATURE
Quintinie	MADEMOISELLE LA QUINTINIE
Roche	JEAN DE LA ROCHE
Secrétaire	LE SECRETAIRE INTIME
Teverino	TEVERINO
Tour	LE COMPAGNON DU TOUR DE FRANCE
Valentine	VALENTINE
Vie	HISTOIRE DE MA VIE
Ville	LA VILLE NOIRE
Villemer	LE MARQUIS DE VILLEMER
Voyageur	LETTRES D'UN VOYAGEUR

L'édition de référence de la *Correspondance* est celle de Georges Lubin, Classiques Garnier, 25 volumes, 1964-1991. *Histoire de ma vie, Lettres d'un voyageur, Nuit d'hiver, Voyage en Auvergne* font partie des *Œuvres autobiographiques* publiées aux éditions Gallimard dans la Bibliothèque de la Pléiade, 1970 et 1971. Quant aux romans, leur publication est actuellement très partielle, éparpillée chez de très nombreux éditeurs. Dans l'attente d'une édition complète, on se reportera à celle qui a été entreprise au XIXe siècle par Michel Lévy.

TABLE DES CITATIONS

Achevé d'imprimer en France en mai 2004
par Corlet imprimeur
N° d'éditeur 996
N° d'imprimeur 77925
Dépôt légal 2004